2015 KOSHIEN BOWL CHAMPIONS
RITSUMEIKAN PANTHERS

未来を信じ
未来に生きる
末川博

ボウル
17
9 5
AMERICAN
FOOTBALL
入場無料
早稲田大学―立命館大学
慶応大学―同志社大学
日本大学―京都大学
アメリカン
フットボール
西京極
主催 関西フットボール聯盟 京都市
後援 京都新聞社
西京都信用金

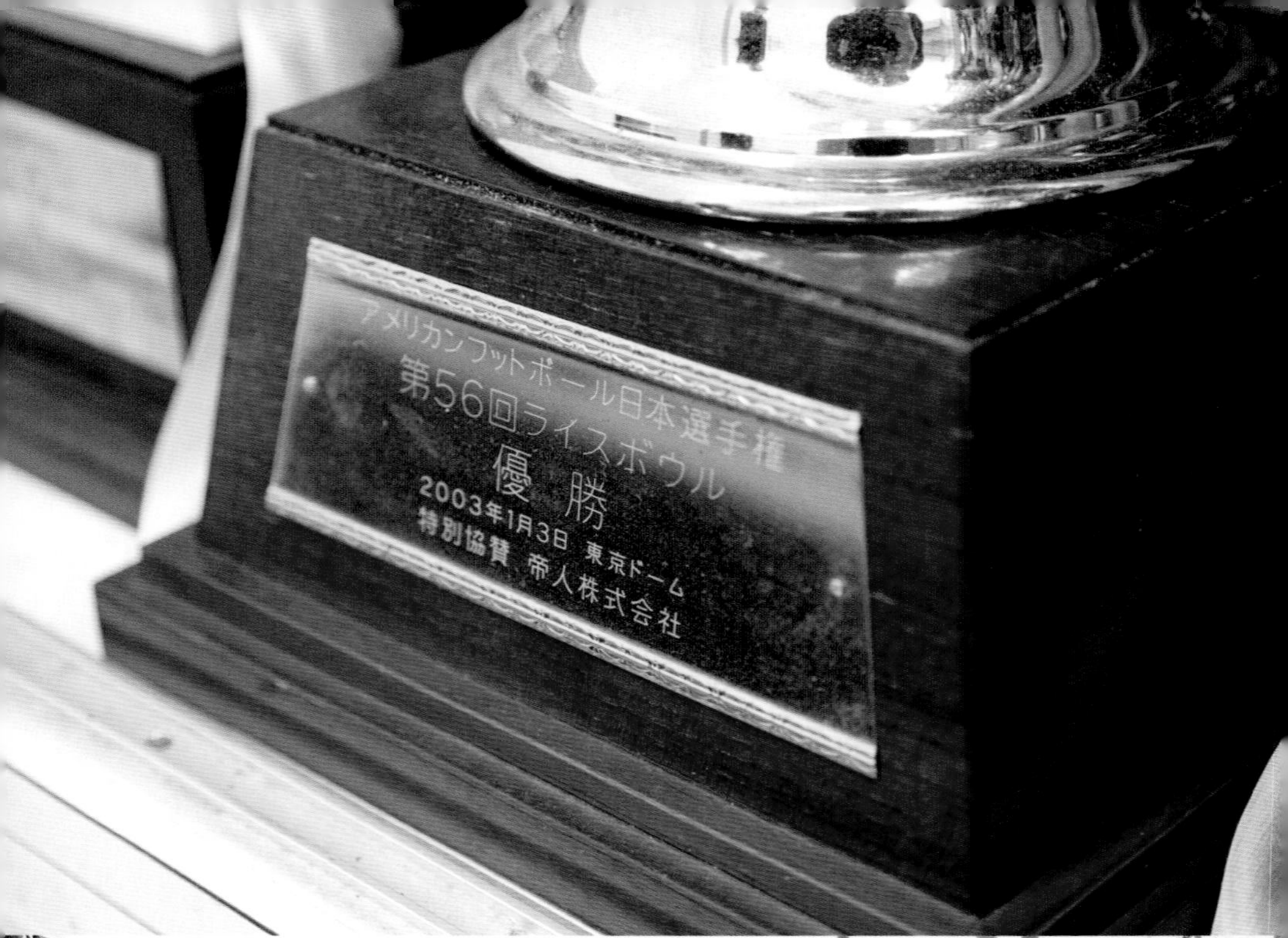
アメリカンフットボール日本選手権
第56回ライスボウル
優勝
2003年1月3日 東京ドーム
特別協賛 帝人株式会社

がんばれ!!
Panthers
5月予定表
MONTHLY SCHEDULE
月
DAY
16 Tue
17 Wed
18 Thu
19 Fri
20 Sat
21 Sun
22 Mon OFF
23 Thu

NISHI

パンサーズグッズ 在庫表
エッジ M,L X
その他 △
パーカー ¥4,000
スウェット
キーホルダー ¥600
¥3,500
¥2,000
¥800
ハンドクッション
シャーペン
¥600
ボール△
ヘルメット
フード付きタオル
¥2,300
¥2,000
キャップ
シートクッション
¥2,000
ネックストラップ
¥1,200
バンダナ
PANTHERS GUIDE
メンバー表
ご自由に
お取りください
PANTHRES
2018
応援グッズ特集
フード付き
タオル
PANTHERS
ハンドクッション
PANTHERS
GUIDE

Rawlings
立命館大学パンサーズ
平成 30 年度幹部一同

未来を信じ、
未来に生きる。
そこに青年の
生命がある。
夢、それはかなえるもの。若者たちは、それぞれの夢のゴールをめざして、
努力を重ね、果敢に挑戦します。立命館大学は、若い知性を育み、
若者の限りない夢を実現する、そんな大学でありつづけたいと思うのです。
立命館大学
（入学願書発売中）
Rits Ritsumeikan University

SpiRits
［スピリッツ］

リツメイ魂

未来を信じ未来に生きる

立命館大学アメリカンフットボール部
立命館大学アメリカンフットボール部OBOG会　著
平井英嗣　監修

ベースボール・マガジン社

本書は、市場志朗氏が立命館大学米式蹴球部を創部した１９５３年から、創部70周年を迎えた２０２３年までを辿り、未来に向けたメッセージを込めたものです。「自由」「刷新」「誇り」「責任」という4つのキーワードになぞらえた時代で区切り、のべ40名におよぶインタビュー取材と過去の貴重な資料を元に、過去から現在までを紡ぎ、「チームパンサーズ」を加えて、立命館大学アメリカンフットボール部の未来を創る土台として記しました。

※本文中、故人の表記はあえてしておりません。
なお、本文中は敬称を省略させていただきました。

はじめに

今回、立命館大学アメリカンフットボール部のＯＢＯＧ会より本書を出版したいとの話が来た時、真っ先に感じたのは、関係者全員が抱える〝危機感〟だった。「立命館大学アメリカンフットボール部」といえば、いまや大学スポーツ界であれば誰もが知っている、一種の〝ブランド〟だ。

ライスボウルに優勝し、日本一になること3回。これはライバル関西学院大学（1回）よりも多く、日本大学、京都大学の4回に次ぐ大学記録である。甲子園ボウル優勝8回は、関西学院大学（29回）、日本大学（19回）に次いで歴代3位の堂々たる記録だ。

1940年に創部し、55年にリーグを制覇して甲子園ボウル出場を果たした日本大学。その日本大学の1年後の41年に創部し、49年にはすでに関西リーグ初優勝を飾っている関西学院大学。創部こそ47年と早くはないが、甲子園ボウルには82年に初出場している京都大学。

その3校のうち最も創部が近い京都大学から遅れること6年、53年に創部した立命館大学が初めて関西リーグを制覇したのは、創部から42年経った94年である。以来、現在までのわずか30年足らずの間に、先の3校と肩を並べるまでに急成長できたのは、3校とは明らかに異なる道を歩んできたことを証明している。

90年代から右肩上がりだった立命館大学の歩みも、ここ7年間はリーグ優勝こそすれ、甲子園ボウル出場にまで至っていない。初優勝以来、これほど長い期間、優勝することの難しさを痛感したことはなかったのである。

だからこそ関係者は、危機感を募らせていた。

今回、本書の執筆に当たり、決めたことがあった。「事実をありのままに伝える」ということだ。

「事実をありのままに伝える」には、それが事実であるかどうかを見極めなければならず、見極めるには、できる限り多くの方から話を聞き多角的に捉える必要がある。そうした労を厭《いと》わずやり遂げることでしか、「事実をありのままに伝えた先にある真実」は見えてこない。

先人たちが残してくれた〝偉大な遺産〟を、どう後世に遺すべきなのか。レガシーとしてどう伝えていけばいいのか。1年前に取材を始めた当初は、まだおぼろげにしかイメージできていなかった。

インタビュー取材では、時代ごとの要人たちに、時には自宅にお邪魔し、長ければ半日近い時間を共有させていただいた。私一人で聞くのはもったいない、と何度思ったかしれない。

それほどの濃密な取材を繰り返し重ねていくと、時代時代を駆け抜けた人々の息づかいと情熱が結束し、常に諦めずに挑戦し続けてきた歴史が、いつしか物語となって顕《あらわ》れてきた。

「温故知新」とは、いわずとしれた孔子の論語の中にある教えだ。「過去にあった事実を研究し、そこから新しい知識や見解をひらくこと」を意味する。

多くの経営者たちが口にする「愚者は経験に学び、賢者は歴史に学ぶ」（独宰相オットー・ビスマルクが残した名言）とは、自分が経験できないことでも先人たちが経験したこと、すなわち歴史を学ぶことで、たくさんの経験を身につけることができるという教えである。

70年という人ひとりの生涯にも匹敵する長い歳月の中で、幾多の荒波を乗り越え、試行錯誤を繰り返して歩んだ「チームの歴史」が本書には綴られている。

そして、もう一つ。この70年の物語の中で確かなことがある。

それは立命館大学アメリカンフットボール部の歴史は、いわゆる〝カリスマ〟と呼ばれる存在にのみ委ねられた歴史ではなかったということだ。

どの年代、どの時代にも、常に部に存在したのは、アメリカンフットボールへの情熱と勝利へのあくなき挑戦であった。それこそが〝立命館魂〟、すなわち〝リツメイ・スピリッツ〟なのである。

今回、こうした執筆の機会を与えて下さった関係者諸兄に、心より感謝を申し上げたい。真実を残し、伝えていくことの大切さを教わった編纂作業だった。

また、過去の史実を克明に記した書物がなければ、ここまで正確な内容を記すことは適《かな》わなかった。

なかでも、本書の監修者でもある平井英嗣氏が、自身でコーチを始めてから勇退するまでの期間をまとめた『立命館大学アメリカンフットボール部の歩み一九七〇〜二〇〇一年』（立命館大学百年史紀要）には、克明に記された当時の様子と、氏の心情、事象が想起させられ、その文才に舌を巻いた。

また、『立命館大学アメリカンフットボール部創部50周年記念誌』は、政木清OB会長時代の03年に発行された化粧箱入り上製判の書籍で、OBの村上和也氏が座長となり総勢20数名で編纂された珠玉の一冊だ。特に、歴代の主将、副将らによる回顧録や名勝負、卒部メンバー名簿などは秀逸である。

これら2冊からは、歴史を編む上で、インタビューだけではつなげられない当時の事実を数多く引用、抜粋させてもらった。

本書の取材で、70年前の創部当時に2回生だった松本陽三さんに話をうかがった。その言葉は、じんわりと温かく心に沁《し》みる。

「大学でアメリカンフットボールと出会って、本当にいい目にあわせてもらいました。人生の宝物です」

OBOG会で一番のパンサーズファンを自称する大先輩が、なぜ今でもチームを応援し続けるのか。

確かに、我々はあの灼熱の京都で、広大なＢＫＣで、青春時代を過ごした。そこで過ごした日々は、歳月を経ても色褪《あ》せることはない。

チームを応援することが、あの時、あの時代の自分に重なる代えがたい時間につながる。それこそが、松本さんの〝人生の宝物〟なのである。

本書を通して、読者諸兄にそんな気持ちを思い出してもらえたなら、筆者としてこの上ない喜びである。

文・戸島正浩
（『アメリカンフットボール・マガジン』元編集長）
プロデューサー、編集者。立命館大学でアメリカンフットボール部に入部。卒業後、１９９４年ベースボール・マガジン社に入社し、98年より『アメリカンフットボール・マガジン』編集長を務める。退社後はフットボールの枠を超え、オールスポーツのコンテンツメーカーとして活躍する。

製作スタッフ

デザイン 黄川田洋志
井上菜奈美
池貝 亨

編集 石田 佳子
木村 雄大
石田 英恒
冨久田秀夫

contents

日本フットボール前夜

立命館大学アメリカンフットボール部の趨勢《すうせい》を綴る前に、日本でアメリカンフットボールという競技がどのような経緯で普及するに至ったかを知っておくことは、部の歴史をより深く理解することにつながるはずだ。そして日本のアメリカンフットボール史を語る上で、黎明期《れいめい》を支えたポール・ラッシュ氏の存在は欠かすことはできない。その名はライスボウルのＭＶＰ賞に冠されてもいる。彼はその半生を異国の地・日本で過ごし、この国の復興とアメリカンフットボールの普及に人生の最後まで取り組んだ〝日本アメリカンフットボールの父〟であり、我らが英雄である。１９４５年、戦争に勝利した米国は日本に進駐軍を送り、彼らの駐屯地を中心にアメリカンフットボールの普及を図った。

その理由は、井尻俊之が書き下ろした『関東学生アメリカンフットボール連盟75周年記念特集』の「フットボールの父 ポール・ラッシュの真実」の中で次のように書かれている。

井尻は元山梨日日新聞記者であり、現山梨県アメリカンフットボール協会理事を務め、かつて書籍『1934フットボール元年 父ポール・ラッシュの真実』（小社刊）を上梓している。ちなみに、山梨県清里の清泉寮にはポールの功績を讃える「ポール・ラッシュ記念館」（96年建設）があることもフットボール界では知られている。

「敗戦により日本国民は進路を見失い、救いを必要としていた。自己の身命を日本のために捧げることを決意していたポールは、最も早く東京に戻る方法として自らGHQ（連合国軍最高司令官総司令部）に志願した。またGHQも円滑な占領政策の推進のため、戦前立教大教授として幅広い人脈を日本に築いていたポールのキャリアを必要としていた。

GHQ総司令部が置かれた皇居前の第一生命ビルに陸軍少佐として着任したポールが真っ先にやったことは（中略）マッカーサー元帥に、スポーツ復活を進言したことだった。

元帥の承認を得て、ポールは直ちに文部省にスポーツ復活の指令を出した。ポールはCIS（民間諜報局）の所属で、文部省への指令は越権行為であった。しかし、占領初期の混乱期であるため、公式記録には残されていないが、戦前に学生スポーツに深く関わったポールのキャリアから言っても、この時期のGHQスポーツ復興政策はほぼポールが先導していたと見てよい。（中略）ポールはスポーツの全国的な復活を通して、亡国絶望のどん底にある日本を救済しようと構想した。ひとつはフェアプレーを基礎とする民主日本の再生。ひとつは殺し合い、憎しみあった日米和解である。その最良の競技がフットボールであると考えた。

なぜ、日本復興のためにフットボールなのか。それはこういうことだった。

フットボールに関わる者は、コーチであれ、選手であれ、チアーであれ、何であれ、まず自分の任務は何かを考えなければならない。『このゲームで自分は何をするべきなのか』。次になすべきことは、自分が共に戦う仲間とともに、自分が達成しなければならないことや、責任を持つべきことについてお互いが必ず理解し合う。ゲームの度に、ワンプレーごとに、この『真実の瞬間』が繰り返される。

それ故に、フットボールは必然的に人間変革のスポーツとなる。この競技ではチームの一人一人が各自の能力に応じ、自らの役割、使命を理解し、責任を負い、偉大なチームの勝利を創造するために行動する。その競技生活により達成される成果は自尊心をもった人間であり、日本復興を担う若者の姿がそこに示されているのである」

ポールの一人の人間としての崇高さがうかがえる一方で、アメリカンフットボールという競技を、ここまで、正確に、明確に、説得力を持って比喩した例がほかにあるであろうか。

ポールは戦前、17年間にわたり立教大学の教授という顔を持ちつつ、日本のこと、日本人のことを学び吸収した。そして戦後、自ら手を挙げて再び来日し、この国をアメリカンフットボールをもって救おうとした。京都大学アメリカンフットボール部の初代主将にして、元海軍少尉の澤田久雄（のちに外交官となる）もまた、「戦争で敗戦した理由を知るにはこの競技を知ることが近道であった」と、後年、創部したいきさつを語っている。

後述する、立命館初代主将が旧制奈良中学校（現在の奈良県立奈良高等学校）時代に体育の授業でタッチフットボールをやっていたこと、それが立命館大学での創部につながったこと、初代コーチがタッチフットボール部で甲子園ボウルに出場したこと、そのすべてが、ポールが行《おこな》った日本でのアメリカンフットボール普及の賜物なのである。

その証拠に、46年に開催された、第一回国民体育大会には、オープン競技として、アメリカンフットボールも参加している。なぜなら、それがポールが考えた「日本の復興を担う、自尊心を持った若者の育成のため」だったからだ。

さあ。それでは、出掛けよう。

立命館大学アメリカンフットボール部の歴史を辿る旅へ。

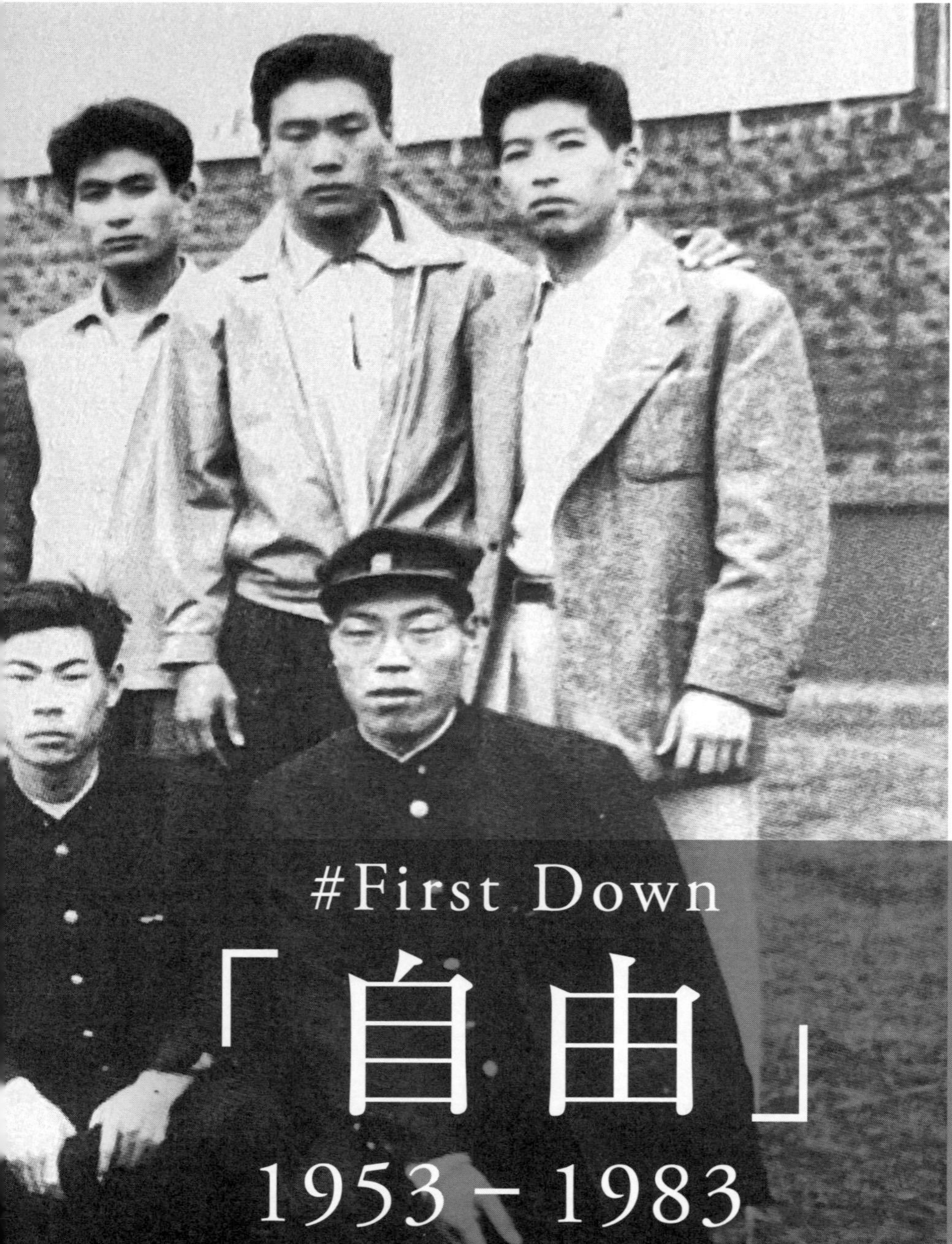

#First Down
「自由」
1953 – 1983

立命館大学米式蹴球部、始動

立命館大学（以下、立命館）アメリカンフットボール（以下、フットボール）部が誕生したのは、終戦から8年が経った1953年4月のことであった。

当時、関西では、関西大学（以下、関大）、同志社大学（以下、同志社）、関西学院大学（以下、関学）、京都大学（以下、京大）の順にアメリカンフットボール部が誕生し、立命館に先んじてリーグを編成していた。

創部を思い立ったのは、旧制奈良中学校（現在の奈良県立奈良高等学校。以下、奈良中）の体育の授業で、タッチフットボールに惹《ひ》かれた初代主将・市場志朗（3回生）ら数人だった。

タッチフットボールは、46年に米国進駐軍（以下、GHQ）により紹介された最初のフットボールで、ヘルメットやショルダーパッド等防具一式を装着することは変わらないが、攻撃側のボールキャリアーを止める手段として、タックルではなくタッチを用いていた。主に市場のいた奈良中や、池田中学校（現大阪府立池田高等学校）、豊中中学校（現大阪府立豊中高等学校）で競技が行われていた。

さて、市場たちがフットボール部員募集の張り紙を作って呼びかけると、思いがけず10数人が文学部の教室に集まった。その集まった中に、浪人中に関学出身の兄に連れられて西宮球技場で関学対明治大学（以下、明治）の試合を観戦して、フットボールに興味を持った松本陽三がいた。学年は市場の一つ下だった。

松本は今年で91歳になるが、5年前までは秋になると関西まで足を伸ばし、母校の試合を最低3試合は観戦に行っていたという。当時の話を聞くために、東京・荻窪の自宅を訪ねた。

「立命館に入った時にはまだ部はなくてね。忘れもしない2回生の4月、大学に行くと掲示板に『米式蹴球（アメリカンフットボール）部設立、集まれ』という張り紙があって、それを見た時は嬉しかった。それからですね。私のフットボール一色の人生が始まったのは（笑）」

掲示板の張り紙を見て、松本が喜び勇んで駆けつけると、教室はすでに熱気で溢《あふ》れていた。すぐに、3回生の市場、2回生の松本とその同期の山本一也（のちに初代監督）、1回生の当麻恵司らが中心となりチームは動き出した。

最初に困ったのは防具だ。フットボールを練習するには防具がいる。防具を揃えるには当然、金がかかる。揃えるための資金をどうするか、皆が頭を抱えた。

当時、ミズノのショップで売られていた新品の防具とシューズを揃えると、10万円ほどかかった。公務員の大卒初任給が8千円に届かない時代にあって、とてもじゃないが手が出ない。

そんな時、神戸でＧＨＱの払い下げをやっているところがあるという話が聞こえてきた。試しに行ってみると、確かに山のように積まれたフットボール用品が、どれも1個百円で売られていた。

「ショルダーも半分で百円（笑）。バラバラになった装備が積んであって、ヒップパッドから、シューズから、何でもあった。とにかく11人分は用意しないと試合にならんというので、結局、頭から足まで全部揃えたら一人分で千円くらいになった」

やむを得ず、各々が親や家族に頼んで金を工面し何とか11人分を買い揃えると、ようやく恰好がついた。

練習場には大学の敷地だった鴨川沿いの河川敷が確保でき、皆で防具をつけてグラウンドに集まった。

集まったはいいが、今度は練習するにも何から始めていいか分からない。チームには経験者が一人もおらず、ルールすらおぼつかない。誰か知っている人がいないか、主将の市場が出身校である奈良中のタッチフットボール部の先輩に当たってみたところ、運良く「週末しか見られないが」との条件付きながらコーチをしてくれそうな人が見つかった。

1953年に竣工された立命館大学鴨川運動場の会場開きの様子。ここが最初の練習場だった

初の公式戦、立命館0－132関学

正式な最初のコーチは髙橋治夫（2018年、日本アメリカンフットボール殿堂［以下、殿堂］入り。1934年創始とされる90年の歴史を持つ日本フットボール史上、殿堂入りしたのはこれまでで総勢48人／22年5月現在）だった。

髙橋は奈良中のタッチフットボール部1期生で、その代の奈良中はタッチフットボールの甲子園ボウル（47年当時は関西中学決勝戦として大学の試合の前に行われていた）で優勝し、髙橋自身はその後、関学に進学。大学でも1回生でいきなりFBとして出場し、甲子園ボウルでも活躍。在学中の4年間は関西では負け知らずで、大学を卒業したその年に、市場から立命館コーチの要請があった。

ちなみに、髙橋が入学した49年から81年までの33年間、関学は関西リーグを連覇し続け、連続で甲子園ボウルに出場している（うち15回優勝、両校優勝2回含む）。当時、関学黄金期はすでに始まっていた。

髙橋の指導で、土日だけとはいえ、選手たちはタックルの仕方や基本的な動きを教わり、少しずつフットボールチームらしくなっていった。しかし今度は、肝心の選手たちが全員集まらない。部員は13~15人在籍していたが、少しでも欠けるとチーム練習もままならない。それでも、リーグに登録したからには、試合の日はやってきた。

53年9月、初参戦となる関西大学リーグの秋の公式戦。立命館の初戦の相手は関学だった。日本アメリカンフットボール協会発行の『限りなき前進　日本アメリカンフットボール五十年史』(84年刊)巻末の公式記録を見てみると、53年関西大学秋季リーグ戦の星取表の一番下に、「立命館　●0-132　関学」と印字されている。

「やっと試合だけはできる状況」(市場)だったのだから無理もない。のちに国内屈指のライバリー関係となる関学相手に、初対戦は3桁失点で零封され、記録的な大敗を喫した。

関学はといえば、この年は全試合無失点でリーグ優勝。甲子園ボウルでも立教大学(以下、立教)に競り勝ち、3度目の大学日本一の座に就いている。

すでに学生王者としての風格を漂わせたブルーのジャージーは、まだ遥か彼方。その背中すら見えていなかった。

初参戦となった1953年9月の秋季リーグ戦@西宮球技場。右から立命館、同志社、京大の選手たち

弱小米式蹴球部に救世主現る

創部当時は、まだ終戦から10年も経っていない時代である。

世間ではNHKの白黒のテレビ放送が始まったばかりだった。高度成長期（55〜72年）の少し前で、若者の大学進学率は日本全体で1割程度。しかし入学してくる学生は、決して富裕層というわけではなく、学帽に一張羅《いっちょうら》の制服で通う学生がほとんどだった。

そんな時代の古都、京都の穏やかな町の雰囲気は、生活する学生たちにとっては随分と居心地の良いものだったようだ。

「とにかく（京都では）どこに行っても学生には優しかった。僕は広島の原爆で家族を失い、兄と僕だけが助かって岡山に逃れ、一浪して入学したのですが、大学時代の4年間は生涯忘れられない良い思い出です」（松本）

試合の勝ち負けよりも、とにかくフットボールができるだけで嬉しかった。毎日河川敷で仲間と汗を流し、練習が終われば、防具を脱いで腹ペコのメンバーで食事に行く。そんな様子を見て、チームを応援してくれる人も出てきた。

当時、立命館のキャンパスは市内の中心地である河原町広小路にあり、文学部の学舎は市電

今はなき市電河原町線に沿って立ち並ぶ立命館大学広小路キャンパス

河原町線の乗降車場、荒神口駅の近くにあった。駅の斜め向かいに、昼は食堂、夜は居酒屋の「とん公」があった。文学部だった松本は、チームメイトと連れ立って、昼も夜もここで胃袋を満たしていたという。

「まだ部ができて間もない頃、『とん公』は鴨川グラウンドまでも歩いてすぐだったので、練習の前や後に大人数で店に行くと、『あんたたちどこのクラブ?』と女将に聞かれて『米式蹴球部です』と答えるが、当時はまだ誰も知らない（笑）。でも、相撲部やボクシング部の面倒を見ていた女将からすると、フットボールも激しいスポーツということで共通するところがあったのか、すぐに良くしてくれるようになって、部員が行くと、ご飯の量はいつも大盛りで、お代も格安（笑）。本当に柴田さんには頭が上がらなかった」

女将の名は、柴田みゆき。広小路の町内会でもとにかく顔が広く、面倒見と気風の良さで常連客も絶えない名物店だった。当然、客も学生だけではなく、大学の職員や教授たちにも居心地の良い店だった。

「この人との出会いとふれあいがなかったなら、私たちのフットボール部は創部を遂行できなかったろう」

そう主将の市場も振り返るほど、柴田の存在は大きかった。

窮地を救った「とん公」の女将

市場曰く「金、人、物、……。何もないゼロからの出発」をした立命館米式蹴球部だったが、「とん公」で仲間同士あれやこれやと話していると、それを聞いていた女将が割って入って助言してくれた。

「とにかくまずは資金集め。創部したてでまだ大学の体育会でもなく、ＯＢ会もない我々には資金的な援助がなかった。部費は年５千円として部員から集めることになったが、ユニフォーム代や遠征費、連盟への登録費や甲子園ボウルの切符の割り当てなどもあったから、それだけではどうにもならない。そしたら柴田さんが、部の部長になってくださる教授を紹介してくれた。大学以外の企業や個人の方からも援助してもらえるよう、受け皿になる後援会を作るアイデアもくださった」（松本）

柴田の口利きで、早速、初代部長として店の常連だった阿部矢二（元経済学部教授）を迎えることができ、創部翌年の54年春には正式に、「米式蹴球部」は大学が認める体育会に加わった。

後援会についても、アイデアだけでなく、店によく来ていた剣道部ＯＢの塩貝勘次郎（元立命館評議員）を介して、大学理事長だった小田美奇穂《みきほ》と前理事長の北川敏夫にも協力を仰いだ。

また、体育会からも、相撲部OBの小川半次（元参議院議員）やボクシング部の水田勝博（のちに立命館教授）ら、有力者にも参画を呼び掛け、ついに54年9月28日、後援会「鴨川倶楽部」が発足した。創部から僅か1年半後のことだった。

これにより有志たちによって集まった資金で買った新品のユニフォームを着て、チームは2シーズン目を迎えることができた。

〝オール京都〟3校の結束

立命館に米式蹴球部ができて喜んだのは、仲間内だけではなかった。同じ京都市内にあった同志社、京大の米式蹴球部も、〝ご近所さん〟として祝福してくれた。

関西大学リーグの中で〝京都勢〟は、同志社、京大に続いて立命館が加わったことで3校となり、大阪の関大、兵庫の関学とはまた違った仲間意識があった。

「よく3校で集まって、一緒に〝オール京都〟チームを作って進駐軍と試合をしました。同志社とは大学キャンパスが（京都）御所を挟んで近かったですから、伊藤荘造監督にお声掛け頂き、（フットボールの）スタイルをしたままで行ったり来たりして合同練習していました」（松本）

創部メンバーの集合写真＠鴨川グラウンド。後列中央右手の女性が「とん公」女将の柴田、その左隣が伴侶の中沢秋雄。この2人の尽力は大きかった

京大ともよく農学部のグラウンドで合同練習を組ませてもらった。
神田綽夫《たくお》監督指導の下、練習の虫だった京大選手たちにまじり、立命館の選手たちも何とかついていこうと必死だった。国立だけに部員数は少なかったが、京大の強さの秘密が垣間見えた。

選手兼マネージャーだった松本は、同志社、京大のマネージャー同士、特に仲良くしていた。

1シーズン目が終わったある時、まだ定期戦の相手がいなかった立命館に、同志社のマネージャーから「定期戦の相手に日大はどうだ?」と打診があった。さすがに松本は、関東でメキメキと頭角を現していた日本大学(以下、日大)の相手にはならないだろうと思ったが、やるなら強いほうがいいと半ば強引にすすめられ、直接、日大に交渉してみることにした。すると、すでに関学との春季定期戦があった日大側も、どうせ関西遠征をするならほかにも試合を組みたかったと、あっさりとその申し出を受けてくれた。

こうして翌春の55年から72年までの18年間、立命館対日大の春季定期戦が行われることになった。

京大から勝ち取った初白星

創部翌年の54年、前年3回生でチームを立ち上げた主将の市場は、最終学年を迎えた。コーチは、高橋の仕事の都合で、奈良中時代に高橋の同級生だった上村《かみむら》孝司（同志社ＯＢ）に替わっていた。上村は教えるのが特に上手で、選手たちからも人気があった。松本は、よく上村の奈良の自宅まで行き、泊まり込みでフットボールを教わったという。

それでもチームは相変わらずメンバー不足の〝リャンメン（両面／攻守の両方に出場すること）〟が当たり前。「まず5年は勝てない」と周囲からいわれるほど、リーグ戦で対戦するほかの4校との力の差は歴然だった。

2シーズン目も、リーグ優勝を経験する関学、関大、同志社には歯が立たず、あっという間に11月の最終京大戦を迎えた。その時の様子は、20年前の03年に編纂された『立命館大学アメリカンフットボール部　五十周年記念誌』（以下、『五十周年誌』）にある「思い出の名勝負」の1ページ目でこう記されている。

ゲーム名 関西学生リーグ戦 vs. 京都大学
対戦日：1954年11月14日（日） 京都大学農学部グラウンド
主将：市場志朗氏

立命館	6	0	0	7	13
京大	0	2	6	0	8

創部2年目の秋、立命館大学アメリカンフットボール部は前年度の上位校京大からチーム結成以来となる初勝利を上げた。1954年当時は占領体制から解放され、朝鮮戦争もおわり、もはや戦後ではないと経済白書にうたわれた時代である。しかし、一般的にはまだまだ貧しく、日々の生活に追われ優雅にレクリエーションスポーツを楽しむという風潮ではなかった。

ライバル京都大学は、戦時中陸軍士官学校や海軍兵学校で決死の覚悟をしていた若者達が、自分たちを打ちのめした米国の代表的なスポーツを極めることで、自らの存在意義を確かめようとして創部された。立命館大学アメリカンフットボール部は、その京大に遅れること6年、鴨川のほとりで産声をあげた。当時のチームは大阪や滋賀・京都の高校フットボール経験者と体力とガッツに自信のある猛者が集まり、伝統校に一泡吹かせる意気込みで創成期を過ごしていたと聞いている。まだ牧歌的な時代。同志社大学や京都大学とは合同練習が頻繁に行われていたという。

京大農学部グラウンドで行われた54年度最終戦第4Q、スコアは6対8、両チーム必死である。

エンドゾーン前の攻防がしばし続き、ついに故山本一也氏が、勝ち越しのタッチダウンをもぎ取った。我々の若きチームは、初代主将市場志朗氏を笑顔で送ることができたのである。

立命館が京都大学を破ったことを自分のことのように喜んでくれたライバル同志社大学のOBや現役幹部の温かい拍手に迎えられ、名実共に私たちのチームが関西学生リーグの一員として認められた瞬間であり、この時から苦難に満ちた栄光へのスタートが切られたのである。

試合後、主将であった市場は、初勝利に湧き上がるサイドラインで胴上げされ、この時ばかりは感極まって泣いた。スポーツを通して人生で初めて感涙したという。

「全員がチームプレーに徹し、全力で自己の技を発揮し、表現できないほどの気持ちの良い最高の汗を（皆が）流した結果だった」（市場）

立命館に米式蹴球部を作った市場は、コーチの髙橋や上村、「とん公」の女将らに支えられ、苦労した日々を経て、学生生活の最後に有終の美を飾り、卒業期を迎えた。

卒業後、教職の道に進んだ市場はのちに、こう話している。

「大学での尊い経験を最大限に生かし、誇りと自信と存在感で38年間勤めることができた」

こうして、記念すべき「立命館大学アメリカンフットボール部　第1期生」がチームを巣立ち、やがて社会に貢献する人材となった。ここから、社会に飛び立つ〝立命アメリカン〟の歴史は始まったのである。

強豪、日大との定期戦始まる

翌55年は、日本全体が戦後の復興期から高度成長期に向かっていく時期だった。敗戦の反動からか、財界からは保守政党による長期安定政権を望む声が高まり、保守政党が合併。自由民主党が誕生し、約3分の2の議席数を占めた。残り3分の1の議席は野党が確保し、憲法改正と再軍備を阻止した、いわゆる〝55年体制〟の始まりの年でもある。

時代の機運も高まって、国内のフットボール界にも強力な存在感を示すチームが台頭した。その筆頭が、立命館との定期戦が始まったばかりの日大フェニックスである。

日系2世だった卒業生の竹本君三監督の下、当時、全盛だった攻撃隊形「Tフォーメーション」の変型となる「アンバランスT」を駆使した攻法は、斬新かつパワフルだった。

そんな相手に、春の第1戦はやはり「アンバランスT」で圧倒され、立命館は●0－59の大敗を喫した。日大は、2日後の関学戦でも○18－6で勝利し、甲子園ボウル2連覇中の王者に土をつけた。のちの名将、篠竹幹夫が学生として右のエンドを務めていた時代のことである。勢いに乗る日大は、秋も関東リーグを初制覇し、関学との甲子園ボウルで同点優勝を果たす。対する関学は、OBの古川明（元関西学生アメリカンフットボール連盟専務理事、元日本協会理事長）が、留学先の米国デンバー大学から持ち帰った「デンバーT」隊形を併用して対抗した。新たな風が吹き込んでいた。

立命館はというと、上村コーチ体制も2年目となり、秋季リーグ戦では、同志社相手に●12－35と敗れはしたものの、リーグ戦で初めて二桁得点を挙げ、最終戦の京大には○26－6と2年連続で勝利した。

翌56年には、松本と同期で2代目主将だった山本一也が、大学卒業と同時にチーム初の監督に就任。その春、2年目となった定期戦で、見事、日大に勝利したのだった。

その年の中西（旧姓・林）猛主将は、のちに『五十周年誌』の中でこう述懐している。

「昇竜の勢いで甲子園ボウルの覇権を関学と争っていた日本大学と、西宮球技場で試合を行い13対6で勝ち、故山本一也先輩や松本陽三先輩共々、大変喜んだものです」

だが、喜びも束の間。56年の秋以降、立命館は、山本が監督を務めた59年までの4年間は何とかリーグ最下位は2回に留めたものの、慢性的な部員不足は解消せず、翌57年には前年に新加盟したばかりの甲南大学（以下、甲南）にも敗れ、後塵を拝した。

そんなチーム状況下にあって、翌58年、思わぬ朗報がもたらされた。

4回生で連盟役員を兼務し、のちにOB会長を務めることになる政木清が、「全国大学リーグ模範選手」に選ばれたのだ。もちろん政木の人柄あってこそだが、彼を輩出したチームにとっても栄誉あることだった。

しかしその後も、チームの成績は思うように上がらない。コーチは上村から山本にバトンが渡されたが、翌59年を最後に、山本は家業の都合で監督を退かざるを得なくなり、その年から65年までの7年間、チームはリーグ最下位から抜け出すことができず、1勝が遠く、長いトンネルから脱せずにいた。

神山《こうやま》グラウンド移転

練習グラウンドを広小路キャンパスにほど近く、創部から12年間使用した鴨川グラウンドから、夏季合宿で使ったことがある上賀茂の神山グラウンドへと移転したのは、65年のことだった。

鴨川グラウンドは、大学から近く助かってはいたが、フットボールのグラウンドにしては横幅が狭く、正規の幅の半分程度しかなかった。そのためボールが川に落ちるのは日常茶飯事で、試合を想定した練習をするには無理があった。実践練習を重ねて試合に臨むには、やはり実寸の広さで練習できるグラウンドが必要だった。

移転した先の神山グラウンドは、世界遺産の上賀茂神社の北に位置し、広小路キャンパスから専用バスで30分弱ほど。敷地内には合宿施設もあった。

1年が過ぎ、選手たちもようやく新しいグラウンドに通い慣れてきた頃、一人の新入生がグラウンドを訪れた。友人に誘われてフットボール部の練習を観るために、市バスの終点「上賀茂神社」停留所から30分かけて歩いて来たという。神社の参道を通り、長い坂道と綺麗に整備されたゴルフ場の小道を通って行くと、練習前だったのだろう。土のグラウンドの上にヘルメットが、きちんと一列に並べて置いてあった。そのヘルメットは太陽の光にきらきらと美しく

待望の広いグラウンドとなった神山グラウンド（別名＝上賀茂グラウンド）での練習風景

輝いて見えた。新入生は「自分もあのヘルメットを被《かぶ》って早くフットボールをやってみたい」と心を突き動かされた。

新入生の名は平井英嗣《ひでつぐ》。のちに、このチームを日本一に導き、「立命館大学アメリカンフットボール部」の名を全国に轟かせることになる監督であり、ディレクターであり、オーガナイザーとなった男であった。時《とき》は66年のことである。

最初に平井に声を掛けたのは、4回生で主将だった吉田眞一だった。

吉田は、この頃からチームのことだけでなく、関西大学リーグの運営母体である関西学生フットボール連盟（以下、学連）の役員も兼ねていて、のちに平井が立命館の監督となった時代には、吉田は学連の理事長を務めた。

学連の元専務理事で現在は相談役の古川明に「（吉田さんは）実直な人柄で、私は今でも尊敬しています」と言わしめるほどの真面目さで、チーム内外の信頼を集める人格者だった。

さらにこの時、吉田の一つ下、平井の二つ上にいたのが当時3回生だった仁ノ岡登（元監督、総監督、現チーム相談役）だった。

仁ノ岡は、立命館高校陸上部時代から同期だった河合隆の影響を受け、大学でフットボール部に入部。卒業後、平井に頼まれて監督となった。その後、仁ノ岡と平井は二人三脚でチーム

吉田眞一（中央上）は率先して連盟に審判の登録をした。吉田に続き、現在も7人のOBたちが公式戦で笛を吹いている

強化を図り、立命館が誇る名コンビとなるのだが、吉田を含めた3人が、同じ時期に、同じグラウンドで汗を流していたことは、チームにとっては幸運なことだった。

快挙! 同志社戦、逆転初勝利

フットボール部に入部すると、平井はすぐに頭角を現した。

元来、持って生まれた筋力と野球で鍛えた運動神経は抜きん出ていた。やんちゃで負けん気の強さもフットボール向きだった、とは仁ノ岡の弁。与えられたFBとLBというポジションも、そんな性格に向いていた。

1回生から先発両面《リャンメン》で試合に出場し、迎えた秋季リーグでは初戦の関学戦で、いきなりキックオフリターンTDを決めてみせた。試合は●6－81で敗北したが、平井はその実績が評価され、そのシーズンから卒業するまでの4年間、立命館で唯一人、ライスボウル(当時は東西大学オールスター戦)に関西選抜として選出されている。

66年、初戦の関学戦後のリーグ戦では、甲南戦を挟み続く第3戦で、○12－8のロースコアながら古豪の同志社相手に初勝利を挙げた。フットボールエリート校ともいえる同志社からの

関学OBで学連相談役の古川が立命館歴代名選手の筆頭に挙げるほど、平井英嗣の走力は抜群だった

勝利は、創部14年目にして初の快挙だった。
再び、『五十周年誌』をめくってみよう。

ゲーム名　関西学生リーグ戦　vs.同志社大学
対戦日：1966年11月6日（日）関学グラウンド
主将：吉田眞一氏
立命館　12
同志社　8

立命館大学アメリカンフットボールチームの半世紀を振り返るとき、1966年リーグ戦で同志社大学からあげた対同志社初勝利を忘れるわけにはいかない。創部当時の元気の良い時代から一転して、我が部は苦悩の時期を迎えることになる。慢性の部員不足もあり1959年から7シーズンは、リーグ戦で最下位に終わっていた。ゲームの前半は互角の戦いをしていても、後半大量点を奪われ敗戦。シーズン初めは強豪チームに果敢に立ち向かってもリーグ戦後半、ライバル校との決戦時には主力選手が軒並み怪我で満足なプレイができない等、苦しい時代が続いた。

その中でも、日本大学との定期戦をはじめ関東の大学との交流は欠かさず継続された。裏方として調整に当たられた当時の主務や幹部の方々のご苦労は大変なものであった、と聞いている。

また、東京遠征においては、松本陽三先輩にひとかたならぬご尽力を頂き、定期戦や交流戦が継続されたのも偏《ひとえ》に松本先輩のお人柄とチームに対する愛情の賜物であったことを、是非書き記しておきたい。

同様に、関西地区においては政木清氏（現OB会長）が現役チームのために獅子奮迅のご活躍をされた。政木氏は出来たてのOB会（当時は鴨川倶楽部と称す）の世話人であり、関西学生リーグの審判であり、西宮ボウルや甲子園ボウルの審判や大会事務局の重責を担われ、苦悩する現役チームを支え続けてらっしゃった。

1966年、チームは苦悩の時代を過ごした多くのOBに、やっと恩返しをすることになる。創部以来リーグ戦で勝つことが出来なかったライバルの同志社大学から、吉田眞一主将を中心にしたメンバーが初勝利をあげたのである。

苦しい試合だった。第4Qまで6対8とリードを許し、万事休すかと思われた時、QBからピッチを受けたRBの西尾選手がWR故福田選手へロングパス。12対8という見事な逆転勝利であった。

この年は、他の４チームが関学に完封負けを喫していた中、唯一関学から得点を奪い、２位の関西大学とも２対８という緊迫したゲームを繰り広げ、完封されたのは合同練習を頻繁に行っていた京都大学のみという年度であった。

翌年には、創部以来初めての（リーグ戦）２勝。その後数年間は、関西代表チームに選抜される選手が何人も出てくるなど、１９６６年対同志社戦を契機として、我が部は底辺から上昇へ向けての離陸を果たしたのであった。

部員が激減した〝学園紛争〟

吉田が卒業後、３回生だった安川一夫は、「仁ノ岡さんが４回生、平井君が２回生の67年。この時のチームはメンバー的にも〝史上最強〟といわれていたんです。人数も今まで一番充実していた。選手個々もユニークな人材だった」と感じていた。平井はもちろん、陸上部出身の俊敏さで売った仁ノ岡がＱＢだった。

いざシーズンが始まってみると、甲南（○36－12）、この年に創部した近畿大学（以下、近大）

(○86－6)を倒して初のシーズン2勝を挙げたものの、京大に●0－58の完封負け、関大に●20－30、同志社には肉薄するも●14－24で敗れ、関学には●6－64。戦績は2勝4敗と7校中5位でシーズンを終えた。ちなみに、京大はこの年、米国ジョージア州出身のコーチ、ジョージ・T・リーが持ち込んだいわゆるラン&シュートオフェンスを導入して、それまでまったく歯が立たなかった関学相手に●22－42と善戦した。

立命館としては、他を圧倒するにはまだ選手層の厚さと経験が足りない。それが分かった翌年、新入部員勧誘に力を入れようと思っていた矢先に、フットボールとはまったく関係ないところでチームの弱体化を余儀なくされることになる。

俗にいう、学園紛争である。学生たちの関心は、デモへの参加や集会などに移り、急激に部員の確保が難しくなった。特に下級生は、一学年2、3人という惨状で、全学年では15人程度。これでは、部員数が倍以上いる先進校には、到底立ち向かえない。

苦難の時代の様子を、68年に主将だった吉川勝祥は、こう吐露する。

「(自分が高校までやっていた)サッカーの勝負では(点差がついても)1、2点差なのに、それが二桁とか三桁というので腰が抜けそうになった。おまけに相手の選手は入れ代わり立ち代

1969年5月、“平和の象徴”として名誉総長・末川博が受け入れた「わだつみの像」は、大学紛争の最中に全共闘の一部学生によって一度壊された

わりの出場だが、こちらはずっと出ずっぱり。早く終わらないかなあ……とばかり、そんな試合が5試合。さらに日大との定期戦では、赤の軍団にコテンパンにされ、口惜しかった、恥ずかしかった、情けなかった。強くなりたい……勝ちたいというよりか得点したい！　闘争心だけはみんな人一倍で、試合のたびに審判から注意、警告を受けた。悲しいかな気持ちはいつも空回りして、フットボールが分かっていなかった。どんな練習をすればいいのかも手さぐりで、とにかく走り、当たり、投げて、受けて、タックルし、ラインもバックスも同じメニューをこなした」（『五十周年誌』より）

吉川の「口惜しかった、恥ずかしかった、情けなかった。強くなりたい……勝ちたいというよりも得点したい！」という偽らざる気持ちは、創部からの黎明期を支えたＯＢたちの心の声だったろう。「闘争心だけはみんな人一倍」持っていたというのも、何とも立命館らしい。

京大との合同練習

思うような練習ができず、勝てない時期ではあったが、同じく部員不足の悩みを抱えていた京大とは、よくナイター設備のある京大農学部のグラウンドで遅くまで合同練習をしていた。

当時の京大の監督は藤村重美（16年、殿堂入り）。藤村は京大卒業後、西宮市立西宮高等学校で教鞭を執りながら、「大学で勝てなかった関学を今度こそ倒してみせる」とフットボール部を創部。5年目の62年に常勝の関西学院高等部（以下、関学高）を〇12－0で倒し、その連勝を204で止めた。〝生ける伝説〟といえる指導者だった。

当時の京大との合同練習で、何度か藤村の指導を受けたことのあった平井は、その厳しさに舌を巻いた。とにかく、〝練習量の京大〟は、当時から有名だったという。

後年、藤村の後を受けて監督となる水野彌一（16年、殿堂入り）は、初めて京大フットボール部の練習に参加した時に藤村と出会い、その後の人生を決定づけられたという。

「藤村さんは市立西宮の監督も兼務されていましたから、京大の練習には多くても年に5回くらいしか来られなかった。僕はパイロットになりたくて防衛大学に入ってそこでフットボールをやって腰を痛めたんです。一浪して大学に入り直した京大でフットボール部に引っ張られたのですが、本当はラグビーをやりたかったんです（笑）。それでも『明日試合だから、試合だけでいいから出てほしい』といわれて、仕方なしに練習に顔を出した。そこで藤村さんに一目お会いして、あまりの衝撃に心を打たれ、入部を決めたんです。すごい人に会ってもうたと（笑）。

僕はそこで『藤村さんのような恰好いい人間になりたい』そう思ったんです。彼は本当にカリスマでした」

「男というのは、弱いチームでも負け戦でも、孤軍奮闘、獅子奮迅の働きをする、それが本当の男だ」と、水野は60年以上前の学生時代に藤村から言われた言葉を、今も忘れずにいる。

のちに水野は、藤村が成し遂げられなかった大学での「打倒関学」（76年）を果たした。京大は、リーグ戦初優勝（82年）で甲子園ボウル出場を遂げ、翌83年に日大を破って国立大学として初の日本一となるのだが、藤村と水野の邂逅《かいこう》のエピソードには、なぜ国立大学が勝てたか、なぜそれが京大だったかが滲《にじ》んでいる。

そして、この70年代後半から80年代にかけての〝京大旋風〟が、立命館にとってかつてないほどの追い風になるとは、大学関係者はおろか、平井たちにも想像できなかった。

藤村と水野の波長が合ったように、水野と平井もまた波長が合った。

水野が卒業後、大学院に進学し、コーチとして加わったのが65年。このあたりから、京大は徐々に実力をつけ始めていた。

67年、コーチ3年目の水野がコーチのリーの助言で採用したラン&シュートが、秋季リーグ戦で関学に通用したことで、水野は「関学に勝つということに初めてリアリティを持てた」と

当時、東京・国立競技場で行われていたライスボウル会場にて。若き平井と水野の一葉

いう。

この年、平井はまだ現役で2回生だったが、京大農学部での合同練習で、学年で7つ年上だった水野のフットボールに懸ける意欲と、打倒関学の具体的な策、何よりそのことを情熱的に語る熱心さに、大いに奮い立った。

メインコーチ不在の立命館・平井にとって、水野は一つの指導者像だった。

フットボールコーチとなった平井英嗣

東西のスター選手たちが集うライスボウルでの経験もまた、平井にとっては得難いものだった。試合会場の東京・国立競技場へ行くと、定期戦で顔見知りだった日大の選手やその仲間たちとの雑談で、ほかの大学がどんなフットボールをやっているかを聞いて刺激を受けた。

この時期、立命館にはメインのコーチがいなかったため、練習も当たり前のように学生主体だった。プレーコールといえば、先輩たちから受け継いだものか、はたまた自分たちで考えたものくらいしか選択肢はなかった。それこそ平井が入部した時には、パスパターンはまだ3種類しかなかった。

ところが、ライスボウルで手渡された関西代表チームのプレーブックは、それまで見たこともないような、フットボール先進校が使うプレーに溢れていて、見ているだけで何か得をしたような気になった。平井はあまりの嬉しさに、このプレーブックをしばらく大事にとっておいたほどだった。

平井にとって、高校時代の野球部は不完全燃焼だったが、大学のフットボール部での4年間は、毎日が刺激的で満たされたものとなった。

戦績こそ2回生で2勝した以外は毎年1勝止まりの最下位だったが、それは部員数が安定せず、メインコーチもいなかった時代のこと。決して力で負けているとは思っていなかった。同期には、平井と同じ負けず嫌いが揃っていたこともあって、もっと強くなりたい、もっと勝ちたいという気持ちが日に日に膨らんでいった。そして、先進的なチームに対する競争心と憧れ、フットボールをもっと深く知りたいという好奇心は、卒業を前にしてピークに達した。

「強いチーム作りが、自分にもきっとできる」

そう信じて疑わなかった平井は、同じ京都在住で主将だった同期の谷毅志や古田純一らとともに、70年春の卒業と同時にコーチになることを決めた。平井以外の二人は自営業で、時間の融通が利くことも大きかった。

前年、平井たちは、年齢も近く同じオフェンスのＦＢとＱＢで親しかった二つ上の仁ノ岡に監督を引き受けてもらえないかと懇願していた。しっかりした組織としてチームを編成していくに当たって、学連に向き合ってもらえる存在が必要だと考えたからだった。

頼まれた仁ノ岡は、ただごとではない平井たちの様子と、自分も母校を強くしたいという思いから、名前だけになるかもしれんがと言いつつ、監督を引き受けた。

仁ノ岡は、父が創業した家業の自動車会社を兄と一緒に手伝っていた。

家業にはタクシー会社もあり、営業は年中無休だった。父も兄も出勤している中、抜け出して練習や試合に顔を出すのはひと苦労だったが、仁ノ岡も平井に負けず劣らずフットボールの虜となった一人。後輩たちのために動く熱心さに、家族は呆《あき》れながらも大目にみてくれるようになった。

こうして、70年、仁ノ岡監督と、平井、谷、古田のコーチ体制がスタートを切った。

コーチ1年目の2部降格

社会人1年目から母校のコーチとなった平井は、週末の休日を使って指導するいわゆるサンデーコーチとして、毎週末、意気揚々とグラウンドに通い始めた。フットボールコーチを続けられるように、就職先には比較的定時退社や休日の取れそうな地元企業や団体を探した。その結果、先輩の吉田眞一のアドバイスもあって京都信用保証協会を選んだ。

週末はグラウンドに行き、毎回、主将、副将ら幹部とミーティングをして練習の計画を立て、それに基づいて、上級生が平日の練習を指示しながらこなしていく。まずはこの流れでチーム作りを始めていった。

フットボールコーチとしてもっと戦術を覚えたいと、学生時代から通う新京極の丸善書店でフットボールの戦術が書かれた洋書を注文。船便で数か月後に手元に届くと、早速、学生たちと一緒に試してみた。同期の谷や古田が来られる時には、自分たちも防具をつけて練習台になりながら、どうにかして戦術をモノにしてやろうと懸命に取り組んだ。

コーチになってからも、強いチームにしたいという情熱と、フットボールをもっと知りたいという欲求は高まっていったが、初年度の70年は、経験の浅い1回生を除けば、部員数11人。

試合ができるギリギリの人数しかいなかった。

それでも人数のせいだけにしたくはない。数を補うのは気持ちだとばかりに、いわゆる〝根性練習〟を選手たちに課した。ところが、それがかえって故障者、負傷者を増やしてチーム状況を悪化させる原因になっていく。

結果、秋季リーグ戦は加入初年度の桃山学院大学（以下、桃山）戦を含めて7戦全敗。またこの年から数年前からの急激な創部ラッシュに合わせる形で、関西圏の大学リーグ編成と名称が、2部制（68年～）の「関西大学リーグ」から、「関西学生リーグ（1部8校）」「近畿学生リーグ（2部12校／京阪ブロック6校、阪神ブロック6校）」へと改編、改称した。

最下位だった立命館は、入替戦で追手門学院大学（以下、追手門）に●12－14で敗れ、〝2部落ち〟となった。

平井は、その時のことを「未熟な新米コーチの失敗だった」と、のちに自戒の念を込めて書いている（00年の大学創立100周年の際に編纂された『立命館百年誌紀要』の「アメリカンフットボール部の歩み」より／以下、『部の歩み』）。

柊野《ひらぎの》グラウンドへの移転

コーチ1年目にして2部降格という厳しい洗礼を受けた平井とフットボール部だったが、救いだったのは平井たちが卒業したばかりだったため、1回生以外の学生は見知ったチームメイトだったことだ。一つ下の後輩に当たる幹部とは、練習後にできる限りミーティングを重ねるなどコミュニケーションを欠かさなかった。そのため、特に上級生のメンバーとは意思疎通が図《はか》れていた。

年が明けた71年には、練習グラウンドが神山から柊野に移転した。

柊野グラウンドは、神山グラウンドより少し北西に位置する近場であった。鉄筋コンクリート造り2階建ての総合合宿所には、給湯器付きシャワーと風呂場、宿泊施設、ミーティングルームなどが整備されていたため、新グラウンドへの〝引っ越し〟は、練習環境の改善となるはずだった。

ところが、大学が休みに入るとスクールバスが運休となることが判明し、通うには市バスで終点まで行き、そこからさらに30分歩かなければならなくなった。学生たちにとっては、神山グラウンドよりもさらに遠いという立地面から時間的な拘束が大きくなる。それを理由に入部を敬遠したり、退部を申し出る学生が少なくなかった。

しかも、まだナイター設備がなかったため、練習時間が授業と重なって単位取得もままならず、学生の本分である学業がおぼつかないという問題も噴出した。

フットボールは、一般的に知られたほかのどんなスポーツよりも人数を必要とする競技。逆にいえば、部員数が少なければ力を十分に発揮できない競技でもある。まさに〝数は力なり〟だ。

フットボールでよくいわれるのは、オフェンス11人、ディフェンス11人に、それぞれバックアップの11人×2＝22人を合わせた44人が必要で、選手としての育成期間を考慮すると、さらに22人を加えた合計66人を確保できれば安定したチーム作りが可能となるという話だ。

平井がコーチ2年目となった71年のスタート時の部員数は一桁の9人。部はかつてないほどの存続の危機に瀕《ひん》しており、春は公式戦の辞退も考えた。

だが、平井は下を向くことはなかった。

天性の〝何とかなるさ〟と思える楽観的思考に、本人も後年「自信（過信）満々でした」と笑うくらいに悲壮感はなかった。学生たちも皆、厳しい状況の中で、それでも続けようと前向きに取り組んでいた。少数ながら、それ故に、ともに好きなフットボールを続けたいと思う者たちによる、仲のよいチームだった。

数では勝てなくても、1部で戦ってきた経験とプライドで、秋には、2部に当たる近畿学生リーグの京阪ブロックで5勝全勝したが、阪神ブロック優勝の大阪大学（以下、阪大）との入替戦出場決定戦（以下、入替戦）で敗れ（●8－22）、シーズンを終えた。

翌72年はブロック2位、73年は近畿学生リーグがA、B、Cの3ブロックとなり、ブロック優勝はしたものの、またもや入替戦で勝てずに、1部復帰のチャンスも手にできないまま、3年が過ぎようとしていた。

部員減少に歯止めをかけた要因

「石の上にも3年」とはよくいったもので、試行錯誤の1000日ほどを経てみると、平井は、チームの課題を俯瞰して解決しようと考え始めた。

入部した部員の定着率アップは喫緊の課題だっただけに、参考にしたのはそれまで辞めた部員たちの退部理由だった。まずは一人ひとりの話を聞いて理由を探った。すると、主に9つの理由が挙がった。

①勉強する時間がほしい
②仕送りや学費、生活費など経済的理由
③(フットボールに)興味がなくなった
④ほかにすることができた
⑤自由な時間がほしい
⑥部内の人間関係
⑦指導者や指導方法への不満
⑧就職活動
⑨留学志望

これらを解決するにはどうしたらよいか、学生幹部とも相談して、次のような対策を図った。新入生には、自由な活動を容認し無理をさせず(①、④、⑤、⑨への解)、授業への出席は最優先、アルバイトやリフレッシュ期間を明確に設けて気分転換を図れるようにした(②、④、⑤、⑧、⑨への解)。また、留学志望者も帰国後の復帰を受け入れ(⑨への解)、就職活動も自由にやってもらうことにした(⑧への解)。

また、部内の上下関係において、俗にいう〝体育会系のパワハラ〟がないように注意した（⑥への解）。経済的にも合宿をできるだけ学内で済ませたり、新入生には関東遠征などの参加を自由にして出費を抑えられるようにした（②への解）。とにかく、新入生が活動しやすいチーム環境作りを心掛けた。

そして、平井が最も責任を感じていた「⑦指導者や指導方法への不満」については、コーチと選手との間の食い違いを防ぐために、言葉だけでなく、可能な限り書面や図を用いてプレーや練習の意図を明解にした。そうした対策を講じた結果、選手との間にズレがない意思疎通が図れるようになっていった。

加えて、73年からコーチに大倉富雄（72年度主将／～82年まで）が加わったことも大きかった。大倉は名門、大阪府立箕面高等学校（以下、箕面高）からフットボール経験者として入部し、知識も豊富でコーチとして適任だった。

その後74年から76年までの3年間は、1部との入替戦までは届かず、戦績には直結しなかったが、こうした方針を打ち出して勧誘活動を行ったところ、新入生の入部者は増え、定着率も徐々に改善されていった。

77年になると、新入生の数が上級生の数を上回り、79年にはついに部員が44人。つまり、数の上では、オフェンス、ディフェンスのスターターとバックアップを併せた人数がようやく確保できたことになる。創部から四半世紀を過ぎて、一つの大きなハードルを越えた。

実は、これにはチーム内での創意工夫もさることながら、外的要因も大きかった。先述した京大の躍進である。

平井が影響を受けた京大の水野は、大学院を68年に卒業後、自動車メーカーで3年間の社会人経験を経て、「本場でフットボールを学びたい」と米国コロラド州へ留学を果たし、73年から再び京大に復帰。翌74年には、〝京大にこの人あり〟といわれた名将、水野彌一監督が誕生した。

水野が復帰してからの京大は、毎年、関学に次いでリーグ2位に位置する強豪チームにまで成長し、王者である関学を引きずり降ろすべく、虎視眈々とその時を狙っていた。

76年には、ついに関学に勝利したが、関大戦を取りこぼし、同率優勝。甲子園ボウル出場決定戦では、関学との再戦に敗れて訪れたチャンスをモノにはできなかったが、もはや関学とは互角の戦いをしていた。

施設や人材に恵まれた私立大学中心の1部リーグで、難関国立大学である京大が、関学や関大、同志社などの伝統校を打ち負かし、あと一歩で優勝という非現実的に思えるドラマは、70

年代後半からマスコミにも大いに取り上げられた。未経験者から始めても一流選手になれる競技だと報じられ、フットボール人気が全国的に広がったのだ。

立命館にもその追い風が吹き込んできていた。

“学生力”で達成してみせた1部復帰

その追い風は、学生の数だけでなく、学生の質にも変化をもたらした。

新入生の中に、体格も良く、運動能力も高いアスリートが多く見受けられるようになったのもこの頃からだった。こうなるといよいよ上位リーグである1部、関西学生リーグへの復帰も夢ではなくなってきた。79年、ついにその時は訪れた。

当時チームは、サンデーコーチの指導体制、グラウンドへの遠距離移動、練習時間の限界、近畿学生リーグ所属という現状で、学生をチームに惹きつける要素は多くなかった。しかし、安心して活動できる組織作りをするという運営方針は、いつしか親和性に優れた部のスタイルを形成していた。

その上で、平井が、学生主体のチームではリーダーとなる主将の果たす役割が大きいことを再認識したのもこの年だった。

コーチが練習を常に見ていられないため、主将は部のリーダーであり、下級生を指導するコーチであり、部の民主的運営と規律を維持する統括責任者であり、コーチと選手の関係を円滑にするコーディネーターでもあった。

特に、コーディネーターとしての役割は、部員の学生生活や活動の様子、毎日変化するコンディションを把握し、普段は部員の姿を見ることの少ないコーチとの間のギャップを埋めて、円滑な部の運営を維持する重要なものだった。

また、夢を現実に変えるためには、挫折を繰り返しながらもチームが常に高い目標を持ち続けることが不可欠であり、そのためには、価値観の違う全部員を統率し、目標に向かって団結させ、ありとあらゆる課題を解決していく固い意志を持った主将の手腕が、決定的に必要であった。

この年の主将、東島千誠《ちせい》(79年度卒)は、まさにそんな存在だった。

彼の誠実で信頼できる人柄に魅かれてまとまったチームは、関西学生リーグを目標に、チーム一丸となって頑張ることができた。

不十分な練習環境や指導体制の中においても、仲間の信頼関係を土台とした活動しやすい組織を形成することでチームの求心力は高まった。いわば責任感のあるリーダーとともに最適な練習環境を自ら創り出した部員たちの、〝学生力〟の勝利だった。

東島を支えた副将の石井芳明は、『五十年誌』の回顧録で、達成感に包まれた集合写真とともにこう締め括っている。

「11月25日、万博競技場、晴れ。立命館大46対21神戸学院大。1部復帰」

ライン戦でも負けなかった関学戦

翌80年、9年ぶりに関西学生リーグへの復帰を果たした立命館は、勢いそのままに開幕戦で王者・関学に挑んだ。

2部降格前の最後の対戦が10年前の70年。その時のスコアは●0-100だった。

以下、80年の本多正憲主将の手記だ。

我が年度の回顧録は、一部リーグ復帰の初戦（vs.関西学院大学）について記載から始めるのが最も記憶を鮮明に呼び戻し、これを無しには語れません。

達成感とチーム内の仲の良さが伝わってくる。１部復帰決定後の1979年11月25日＠万博競技場

1980年9月6日、西宮球技場（当時は、一部リーグでも西宮球場ではなく球技場がメイン会場でした。但し、更衣室は競輪の車券売り場で球場でしたが…）、一部リーグ復帰の初戦が、前年度優勝（関西リーグでは当時無敵のチャンピオンであった）KG。

立命館のオフェンスで試合開始。ファーストプレーは、右サイドのダイブプレー、いきなり7ヤードゲイン、次も同じプレーで楽々ファーストダウン獲得。次は、カウンターオプション（リードオプションだったかな?）のプレーコール、KGのLBがブリッツしてくるが、立命館のオフェンスラインが上手く（偶然?）防ぎ、陸上部出身で、直線スピードでは関西NO.1のTB佐藤が一気にTD。

その後、逆転されるも、QB江畑‐WR中村（清二）の2部リーグで2年間鍛えたホットラインが、それなりに通用し再逆転し、前半終了で24対21とリード。ライン戦では、立命館がやや優位であった。個々のラインの力では、完全に勝っていたと今でも思っています。マンツーマンで全てフットボールを行えば（それでは、フットボールになりませんが…）絶対に勝てるとライン同士で語り合っていたものです。この辺りは、ある種の立命館の「伝統」になっている気もします。個々の勝負では、絶対に負けない、負けたくない。

さて、後半は膠着したゲームとなりKGに1本取られ、24対28となるも、ライン戦で優位な中で、江畑－中村のホットラインがポイントで決まり、４Q残り２分30秒ほどでゴール前５ヤードに攻め込み、ファーストダウン。立命館が攻め込むと、KG応援団席の悲鳴ばかり、歓声はスカウティングの他校の選手だけの状況でした。

そして、今でもアメフト仲間で飲みに行くと必ず話題になり、最後にWR中村（清二）が涙する、パスプレー…。

そのパス後のアフタータックルでQB江畑が肩を負傷し、残りのリーグ戦は苦戦を強いられるも何とか２勝し、入れ替え戦出場のプレーオフにも勝利しシーズン終了。

私どもの年代は、２部から１部への過渡期であったと思います。入部した時には、２回生～４回生までの合計で20人もいない部員数が、４年時には、各学年で15名以上は揃い、やっと数は１部リーグらしくなった頃です。やはり、「数は力」です。

このKG戦は、一部リーグ上位校とも十分にやっていけると確信になった事で、立命館のフットボールにとってターニングポイントの試合であったと思います。数年内にKGに勝てるようになれると思いましたが、そうは甘くはなかったですねえ。（後略）

10年前に１００点差あった関学との差が、僅か4点差まで縮まったのが80年だった。だが、

1980年秋季リーグの対関学戦。2部から復帰したばかりの立命館の奮闘が王者をたじろがせた

本多も書いているように、実際に関学から初勝利（90年）を挙げるまでには、さらにもう10年の年月を要することになる。

転機となった原谷グラウンド移転

80年シーズンは、初戦こそ接戦で関学を追い詰め、1部である関西学生リーグでも通用することを証明できたが、その代償は大きかった。

関学戦でQB江畑二郎が肩を負傷。その後、ほかにもケガ人が続出し、結局、シーズンが終わってみれば、2勝5敗で6位。同率だった関大と関西学生リーグ残留をかけて1試合目同点で都合2度対戦し、2試合目で辛くも逃げ切り、残留を決めた。

翌81年も、1勝6敗で残留争いとなり、今度は踏ん張れずに、再び2部である近畿学生リーグに降格となった。

近畿学生リーグでのスタートとなった82年には、練習拠点が衣笠キャンパスのすぐ裏山に当たる原谷グラウンドへ移転した。

実は、前年の81年に法学部が衣笠キャンパスに移ったことで、立命館が65年から推進してき

がむしゃらに、ただ、がむしゃらに。「ケガ人さえ出なければ……」そんな恨み節をいいたくなるようなシーズンが続いた

た全学部の「衣笠一拠点化」が完了していた。御所と鴨川に挟まれた京都の中心地である広小路から衣笠へとキャンパスを移す計画は、65年に経済、経営、70年に産業社会、78年に文、そして81年に法学部が移転して、すべてが完了した格好となった。

同時に、強化している各運動部のグラウンドも近くに移そうと、話がトントン拍子に進んだというわけだ。

実際、大学全体で大きな方針の転換期を迎えていた。

その詳細については次章で後述するが、フットボール部にとっては、長年の課題であった遠距離移動が解消されて時間的な余裕が生まれたため、部員の定着率が大幅に向上し、選手層の安定につながった。

環境の好転は、チーム成績にも良い影響を与え、2部に当たる近畿学生リーグを5戦全勝で通過。岡山大学との入替決定戦に〇6－0で勝利して、82年は2シーズンぶりに関西学生リーグに復帰を決めた。

翌83年、平井はついにヘッドコーチとなり、コーチングの統括を担うことになった。

ここからチームは、大学の施策との間に相乗効果をもたらしながら、飛躍的な成長をみせていくことになる。

CK REACTION:
FENSE TIM CHARGE BY TACKLES

A. BASE

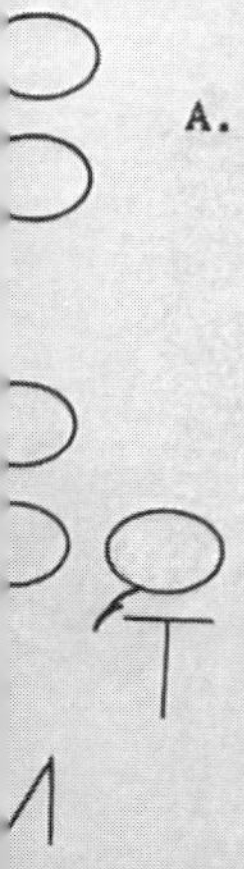

RKING HIGH, JUST OFF YOUR
JFFLE; ATTACK HIS BLOCK
SIDE FOREARM AND SHOULDER
N HIS HEAD INTO B GAP AND

B. REACH

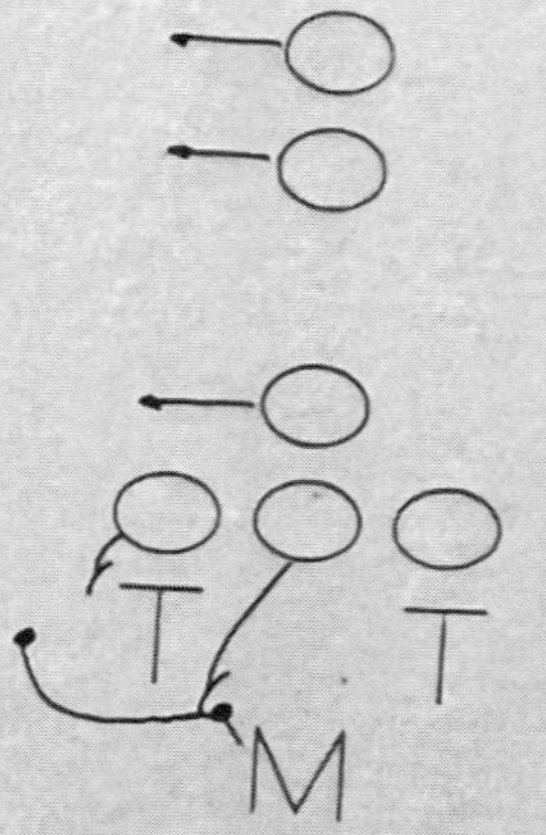

CENTER WORKING LOW AND HARD OFF YOUR FRAME; SHUFFLE; CONTROL HIS BLOCK WITH YOUR HANDS. DO NOT BE CUT OR OVERRUN THE BALL.

C. ZONE

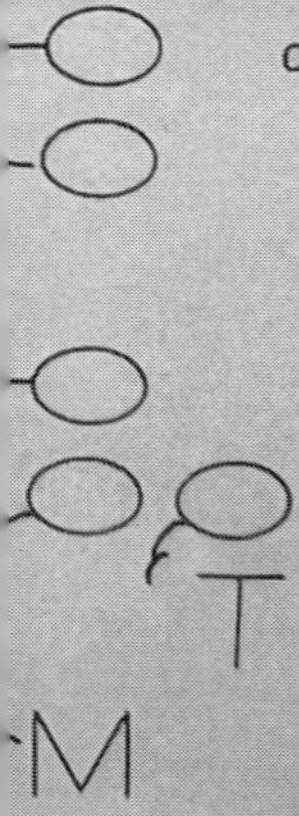

NG HARD DOWN THE LOS
W OF THE BALL. SHUFFLE,
THE BALL UNTIL IT
N ATTACK AND MAKE
ENSIVE TACKLE MUST NOT
D GET ON YOU; IF HE DOES

D. FOLD

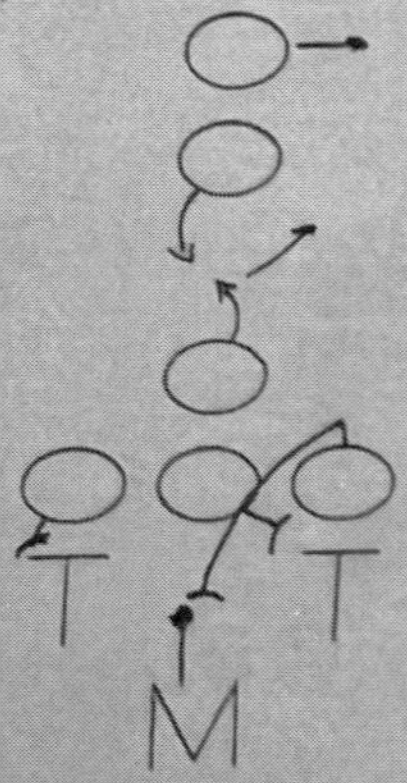

CENTER WORKING FLAT ON LOS ON 2 TECH, BALL RIGHT AT YOU. STEP TOUGH, ATTACK THE GUARD PULLING AROUND WITH LEFT SHOULDER AND FOREARM. DO NOT CREATE SEPARATION BETWEEN YOU AND 2 TECH.

#Second Down
「清新」
1983－1994

情熱に紡《つむ》がれたチーム前史

立命館大学アメリカンフットボール部70年の歴史を俯瞰して見た時、部にとっての最も大きな転換期を挙げるとすれば、83年から94年までの12年間だろう。平井英嗣がヘッドコーチとなった年から、初のリーグ優勝、甲子園ボウル初出場となった年までの間である。

この12年間で、チームを取り巻くありとあらゆる環境が驚異的なスピードで改善し、勢いそのままリーグ優勝のみならず、大学日本一の座にまで駆け上がった。激動、激変の12年といえよう。

環境が改善した複数の要因については後述するが、一ついえるのは、ここまで書き綴ってきた創部から82年に至るまでの30年間、部を存続させ、後に続く者たちにつないできた先達の存在なくして、この大きな転換期以降の成長曲線は生まれなかったという紛れもない事実である。ほかの大学にはない、立命館独自のサクセスストーリーが次々と生まれた背景には、常に下支えをしてくれた大勢の人々の存在があったことを忘れてはならない。

長い雌伏の時を経て、83年から次々に訪れる千載一遇のチャンスをモノにしてきた平井と仁ノ岡は、それを「ラッキーだった」「運が良かった」というが、決してそれだけではない。

最大の要因は、平井のほとばしる情熱で仁ノ岡が動き、さらに周囲が呼応し、その連鎖がいつしか目に見えないところにまで波及し、人々の心を動かしていったということだ。今回、この書籍の取材を重ねていく中で、それは予測から確信に変わっていった。

情熱が人を動かし、人が組織を動かした。

平井曰く「夢見る（フットボール）小僧」がそのまま大人になり、夢を掴んだのだ。平井の夢はいつしかチームの夢となり、バトンを受けた、古橋由一郎（前監督）の、米倉輝（元監督）の、藤田直孝（現監督）の夢となって、大きく花開いていく。

「ラッキーだった」とことあるごとに口にする平井だが、言葉の裏には、それだけ周囲に助けられたという思いがあるのだろう。厳しい時代にあっても〝いつか〟を夢見ていた平井と、その平井についていった学生たちから悲壮感を感じなかった理由は、平井や仁ノ岡らの性格と、立命館出身者が持つ、ある種の牧歌的な鷹揚さにあったように思える。

転換期を経て、チームはさらなる高みを目指して進化していく。

「グレーターズ」（当時のニックネーム）から「パンサーズ」（87年から変更）となったあたりから、周囲や当事者たちの想像を超えた成長曲線を描いていくのである。

末川総長と「全学協議会」

83年から始まる転換期で特筆すべきは、立命館の「総合スポーツ政策」の策定と実施である。当時、学生課長だった木野明は、「立命館百年史編纂室」が開催した「立命館大学スポーツ活動の振興」をテーマにした関係者座談会（２００８年7月開催）の中で、当時のことをこう振り返っている。

「私が学生課に参りましたのが83年4月ですが、この時、当時の体育会担当の高橋紘一さん（課長補佐）が膨大な資料から『総合スポーツ政策』という文書をすでに作っておられまして、その提案が学内理事会文書に繋がっていったわけですけど、高橋さんも私もこのままでは立命館のスポーツはだめだ、という共通の危機意識を持っておりました。当時、巷《ちまた》では（立命館は）『クライ、ダサイ、アカイ』という風評や、スポーツに弱い立命館などと様々な面で立命館に対する社会的評価が低下しており、入学志願者数も相当落ち込みました。そして、『関、関、同、立』の４大学から『立』（立命館）が外されることにも出合いました。でもそうではない、立命館は真面目に取り組んで頑張っているということを理解してもらうにはどうしていったらいいのか。そんな思いがありました。もう一つ、当時高橋さんはこう語っていました。スポーツは、単にクラブ活動としての戦績のみでなく、立命館全体の状況を変えていく大きな力を持っている。だから、スポーツ政策としてではなく、学園戦略として考えるべきだと。私もその文書を読んで、これはどうしても最優先課題でやらなくてはならないと思いました」

木野と高橋は、学園改革の最優先課題としてこれを理事会に上げ、理事会は賛同し「全学協議会」で議題として取り上げることになった。

「全学協議会」とは、学園運営において、すべての構成員が参加して決めるとする立命館独自の民主的協議機関であり、〝全学合意のシステム〟である。2代目総長となった法学者の末川博が49年に創設した。

末川の名は、立命館の校友であれば「記念館」の存在で知るところであろうが、当時の法学の世界、特に法の形式や内容よりも、実際社会において法がどのように機能しているかに重点を置いた〝社会的法学〟の領域では第一人者であった。

末川は立命館の学長となった45年から、大学の抜本的改革に着手し、憲法と教育基本法を尊重して「平和と民主主義」を教学理念に据えた。

立命館の史資料センターのホームページ内にある『立命館あの日、あの時』には、末川が新学長になってから最初に学生たちに送ったと思われるメッセージが残されている。

全学協議会の風景（1958年）。手前には学生たち、奥に学園執行部。中央には末川博の姿も見える

「この学園においては、理知をみがき道義を高めることが第一義である。そこで民主主義の本質的な要請である正しい自由と、それに伴う責任と規律とが、純真な学徒により実践的に訓練されなければならない。そのために私は、今後学生大会は必要であると考える。わが立命館においては民主主義の理解のもとに、自主的な学生大会を開いて、政治的な訓練を受けるのは望ましいことである。こういう機会に、自由活発に、明朗に、論議し合って批判力を養い想像力を強める工夫をなすべきである」

（1946年2月28日）

驚くべきは、末川がこの演説をしたのが終戦から僅か半年後だということである。学生たちの闊達な発言を促すこの内容に、当時の末川の発想がいかに先進的であったかが見て取れる。

学生たちは、自分たちに向けられたこのメッセージに呼応するように、2年後の48年に自ら声を挙げ、学友会からの提案として様々な改革を末川に進言した。それを受け、翌49年に正式な制度として実現したのが「全学協議会」だった。

学生の学びたい、成長したいという要求を軸に、全構成員の合意形成を進めながら教学改革

全学協議会　構成図

を行うこのシステムは、人間の尊重と自由の尊重の精神に重きをおく末川が考える、〝立命館民主主義〟の象徴ともいえるものだった。

財政の安定を生んだ「新学費方式導入」

69年、学長就任から25年にわたり学園改革を推進してきた末川が勇退すると、高度成長期に入り、放っておいても学生数が増える時代を迎えたが、立命館は学園としての長期的、総合的な課題に取り組む必要性を感じ始めていた。

そんな折に起きたのが、学園紛争である。

紛争は70年代初めには沈静化するが、紛争

1946年、立命館は民法学の大家・末川博を学長として迎え入れ、学園の抜本的改革に着手。憲法と教育基本法を尊重して「平和と民主主義」を教学理念に据えた

時に露呈した大学組織としての欠点を改善、改革していかなければならないというムードが、学内の教職員の間に拡がった。大学改革を行い、インフラ整備や教育環境の改善を図らなければならない。だが先立つものがない。

一方で、元々、立命館は低学費の私学として知られていた。

というのも、そもそも前身である「京都法政学校」は勤労者のための夜学校として創立された経緯があり、70年代に入っても夜間部の学生は全体の約4分の1近くを占めていた。社会人にも門戸を拡げ、彼らも含め、様々な課題を「全学協議会」で協議していく以上、学費の値上げが容易に通るはずがなかった。

しかし、高度成長期を経て、物価の上昇や教職員の賃上げにより支出は増える一方で、収入となる学費が上げられないのでは、学園の財政は次第にひっ迫していった。

そんな中、78年に総長となった天野和夫（～84年）が主導して、翌79年に開催された「全学協議会」において、次のような新たな学費方式が導入されることになった。

新年度学費＝｛前年度学費×（1＋物価上昇率＋教学条件改善率）｝－α（「α」とは、学生一人当たり私学経常費補助金の対前年度増額分）

学生にも大学側にも利点があったこの新学費方式の採用決定により（実施は80年度より）、ようやく大学運営における財政の目途が立ち、大学改革に着手可能な態勢ができた。

それと同時に「全学協議会」で謳《うた》われたのが「80年代およびそれ以降の学園創造に向けて」と題された明確な将来像だった。その中では「学びがいと働きがいのある学園像」として、立命館は「全学構成員の学問、文化、スポーツの各分野における自主的活動と自治活動の一層の発展と、民主主義、基本的人権を擁護し、暴力反対を堅持した全学構成員による大学自治の発展を目指す大学」であるとのビジョンが打ち出された。

また、「保健体育教育について」書かれた細目には、「国民一人ひとりがスポーツの主人公たるべきことを目指して、スポーツの権利主体の形成を理念とし、①運動技術の獲得、②スポーツの組織性、集合性の獲得、③スポーツの歴史性、社会性の認識の獲得、の3つを基本的な目標として次の改善策を取る」とし、「専任教員と非常勤講師との指導経験の交流を強化し、教訓の共通化を図る」ことや、「課外体育活動との関連での改善」における「課外体育、とりわけクラブ活動への援助を総合的に強化する」と明記された。

なかでも、「全学生のスポーツ活動に対する政策の確立」という部分には次のように示されている。

全学生のスポーツ活動に対する政策の確立
青年の発達にとって、スポーツに対する要求は切実であり、またスポーツ活用が体力向上、人間形成、集団づくりなどに果たす役割が大きいことを踏まえ、

①学園の総合政策の一環として、当面の総合的スポーツ政策を1980年3月末までに作成し、提起する。

②第二体育館の建設を進め、さらには衣笠キャンパスに比較的近い場所でのグラウンドの確保に努めることによって、全学生のスポーツ要求に応える。

③体育会に組織された課外スポーツに対する援助を系統的に強める。

本章の前半部分で、学生課の体育会担当であった高橋がまとめた「総合スポーツ政策」に関する膨大な資料を示したが、その土台には、こうした背景があったのである。

本格的な「総合スポーツ政策」導入

「全学協議会」は4年に一度開催される。続く83年には、さらに踏み込んで次のような具体的

なスポーツ振興施策が盛り込まれた。

体育会関係

(1) 1984年度実施に向けて確認する事項

① 「総合スポーツ政策」を確立し、以下の改善および援助を行う。

「総合スポーツ政策」は、84年3月までに大綱を示し、4月より実施可能な課題について、本年度内に具体化をはかる。そのために、当面検討すべき内容は、❶課外活動との有機的統合・関連を視野に入れた正課体育カリキュラムの改革、❷保健体育委員会・課外体育委員会等の充実、❸部長会等の強化と監督・コーチ会の確立、❹推薦入試制度の充実・改善、❺専任コーチの確保、❻課外体育活動の総合的・体系的援助のあり方の検討、❼施設、設備等条件の改善、などを柱にしたものとする。

以上の基本方向をふまえて、84年4月より、以下の内容について実施する。

ⓐ 選手育成の鍵をにぎる指導体制充実のために、重点的強化対象パートを明確にして、本学の財政力量の可能な範囲で、専任のトレーナーおよびコーチの確保を行う。

ⓑ 保健体育教室および体育課の援助と協力により、「トレーナー養成講座」や「スポーツ相

談室」等を開設する。

ⓒ尚友館を4月に開館し、より充実した強化合宿が可能な条件設定を行うとともに、トレーニングルームを春季の基礎体力づくりに使用できるようにする。

ⓓ「課外体育委員会」の充実を行う。

ⓔ体育会強化対策費について、体育会強化の重点政策を明確にして改善・充実をはかる。

（中略）

⑥部長・監督・コーチの指導・援助活動を強化する視点から、旅費執行の改善をはかる。

⑦衣笠（仮設）合宿所は、原谷グラウンドの尚友館（宿泊定員88名）建設に伴い、84年4月より（仮設）セミナーハウスに転用するか、体育会衣笠パートの合宿について、条件が許す限り使用できるようにする。

(2)84年3月中に実施する事項

（中略）

②その他

スクールバスについては、各パートの活動実態をふまえて、ダイヤの改善についてバス会社と交渉を行う。

(3) 今後の継続検討課題（施設・設備に関すること）

（中略）

⑦ 原谷グラウンドの照明施設について、正課体育の原谷グラウンド使用時期との関連で、日没後も一定時間練習が可能な施設について、検討を行う。（後略）

こうして大学としての本格的な「総合スポーツ政策」を策定することにより、専任トレーニングコーチの加入や、これまで課題となっていた夜間の練習においての活路が開け、原谷グラウンドとトレーニング、合宿施設（尚友館）の開設など、インフラ面でも、フットボール部にとって大きな前進がみられ始めた。

大きかった岡本コーチの加入

原谷グラウンドへ移転した83年に関西学生リーグ1部に復帰したばかりのヘッドコーチの平井と監督の仁ノ岡を柱とするコーチング体制に、新たな人材が加わった。

日本体育大学（以下、日体大）から来た専任トレーニングコーチの岡本直輝（現スポーツ健康科学部スポーツ健康科学科教授）である。

「立命館が、トレーナーを養成するためにスポーツ科学を教えられる人材を探している。誰か行かないか」という話が、ゼミの教授を通じて東京の大学院で教員を目指していた岡本の耳に入ったのは、前年の83年秋のことだった。

岡本は、指導の現場を経験できることに加え、自身が神戸出身であること、立命館卒ではないがかつて他大学に通っていた父親が末川先生（名誉総長）の授業を傍聴しに行ったことがあると聞き、これも何かの縁だと自ら手を挙げた。

最新の運動生理学とバイオメカニクス（身体の構造や機能を元に動きについて力学的な観点から解明しようという学問）の研究をしていた岡本は難なく立命館に採用され、学生部所属の嘱託職員として大学での指導を始めた。

岡本の仕事の内容は、体育会全体のトレーナーに必要な知識を教えて人材を養成するという、当時の立命館としては画期的な試みだった。

平井にとっても、岡本は待望のコーチングスタッフだった。

先の「全学協議会」で決定した重点的強化対象パート（野球部、サッカー部、ラグビー部、フットボール部の4球技部）に選定されたおかげで、専任トレーナーもしくはコーチの要望に

衣笠キャンパスからバスで20分、原付バイクで10分足らずの場所にある原谷グラウンド。土が人工芝に替わったこと以外は、現在も周囲の景色は驚くほど変わっていない

ついて、平井は大学側から事前に具体的なヒアリングを受けた。その際に伝えたのは、フットボール経験者ではなく科学的トレーニングに関する知見があること、日体大の教員志望者であること、の2点だった。

理由は明解で、チーム強化の最初の一手は、入部してきた選手たちをいかに体力的に成長させられるか、また、近い将来導入されるであろうスポーツ推薦入学制度を活用し、全国からいかに良い選手をリクルーティングできるかだったからだ。日体大卒業生たちの教員ネットワークは底知れないと平井は分かっていた。

平井の要望を受け、立命館の学生部から日体大にオファーが入り、岡本は立命館職員となった。岡本は、着任後しばらくしてからグラウンドに来て、最初に選手たちの体力測定を行い、フットボールに必要な筋肉はどの部位で、どの部位を鍛えるべきかを分析した。それを見た監督の仁ノ岡は、「そんなことは考えたこともなかった」と驚いたことを、今でも忘れないという。

平日、岡本は14時30分まで授業をしてからフットボール部に合流して選手たちを見守り、日頃の選手たちの様子をサンデーコーチだった平井に逐一報告した。おかげで平井は、常に選手の状態を把握しながら練習計画を立てることができるようになった。

岡本のほかにも、ボランティアコーチとして村上和也（81年度卒）や増田昌義（83年度卒主将／現ＯＢＯＧ会長）、のちに常岡宏行（82年度卒）らが、休日にはグラウンドに足を運ぶようになり、コーチング体制も少しずつ充実してきていた。

初の外国人コーチのデイビッド・ダンキャベッジ（70年代に陸軍士官学校でＬＢとして活躍）が来たのもこの時期だった。平井が大学側と交渉し、ダンキャベッジをパートタイムコーチとして招聘した。本場のコーチの指導に選手たちは大いに発奮した。

同率ながらも初のリーグ２位に

翌85年には、原谷グラウンドに念願の夜間照明設備が設置され、夜遅くまでの練習が可能になった。それまでは、学生たちの原付バイクを何十台も並べ、そのヘッドライトの明かりでプレーしていたこともあったと考えると、大きな進歩だった。おかげで練習時間を後ろ倒しにでき、平井も平日の練習参加に間に合うようになった。

さらに〝京大旋風〟によりフットボール人気が上昇したこともあり、選手数は１００人規模となった。結果、リーグ戦は5勝2敗と大きく勝ち越し、初のリーグ同率2位になることができた。選手、コーチの質と量、両方の重要性を強く意識させられた年となった。

理工学部教授で立命館副総長まで勤めた小島孝之が部長、監督に仁ノ岡、ヘッドコーチに平井、そして岡本がコーチに加わった（『1988年度イヤーブック』より）

ちなみに、この時の4回生に橋詰功（WR／現同志社ヘッドコーチ）がいた。橋詰はその後、電機メーカーに勤務しながら、94年から立命館のコーチとなり、97年に大学職員として正式に採用され、00年に米国オクラホマ大学（以下、オクラホマ大）に研修のため留学する。そして持ち帰ったオフェンスシステム〝リッツガン〟で、選手の時には果たせなかったリーグ制覇を遥かに超え、日本の頂点にチームを導いたのである。その爆発力は、02、03年のライスボウル優勝、日本一連覇の原動力となった。

さて、チームの戦績は過去最高水準にまで上がったが、入部してくる学生や父兄にとってより魅力のあるチームとなるには、在学中の競技面だけでなく、卒業後にどんな企業に就職できているかも重要なファクターだった。

そこで平井と岡本は、学生たちの就職先としてフットボールチームを持つ企業と持たない企業とに大別し、持つ企業には二人で、持たない企業へは岡本が、大学就職部と共同して学生たちにアドバイスをしていく体制を整えていった。

コーチング体制の充実、練習環境の改善、部員数の増加、部費予算の拡大、一流企業への就職斡旋《あっせん》強化など、大学側の強化施策と社会的な追い風、そして何よりも、岡本の加入による学内との細やかな連携は、チームをさらに上昇機運に押し上げていった。

忘れじのピッツバーグ大、視察研修

米国ピッツバーグ大学（以下、ピッツバーグ大）への視察研修が決まったのは、86年春のことだった。

この頃立命館では他大学よりも遅れていた〝国際化〟が学内で叫ばれ始め、ピッツバーグ大と交換留学制度を始めたことを聞きつけた岡本は、奥川桜豊彦《おとひこ》助教授（ピッツバーグ大に12年通い帰国後、産業社会学部で教鞭を執る。のちに教授）に依頼して、フットボールチームにコンタクトを取ってもらった。すると、先方から来てもいいと快諾され、平井と岡本の二人は、奥川のコーディネートで10日間の現地研修に赴《おもむ》いた。

平井は以前から、本場でフットボールを習得する必要性を感じていた。ただでさえ猛練習で知られ、リーグ2位の力をつけた京大も、監督の水野が米国コロラド州への留学から帰国後、現地で見聞したフットボール知識とノウハウを駆使して、チームに最新のシステムとフットボールインテリジェンスをもたらし、悲願の全国制覇を成し遂げていた。平井と20年近いつきあいの水野は、頂点に駆け上がるまでの過程をすでに知っていた。

当時、平井は岡本と一緒に水野の経営する「水野塾」によく行っていた。試合に負けるとビデオを持参しては「何がいけなかったのか」具体的にアドバイスを受けていた。平井は、自分でも本場のフットボールを見てみたかった。そんな折のピッツバーグ大視察だった。

渡米が決まると、岡本はいつものように山科にあった仁ノ岡の会社まで原付バイクを飛ばして相談に行った。この頃、岡本はほぼ毎日のように平井と連絡を取り合い、そこで相談事が出るたびに仁ノ岡の元へ走った。立命館に入職してから丸2年が経っていた。

「ピッツバーグ大への手土産に〝立命館〟と漢字で入ったポロシャツを作りたい」

そう思った岡本は、資金調達を仁ノ岡に頼みに行ったのだ。すると仁ノ岡の口利きでOB会から補助を受け、オリジナルのポロシャツができた。シャツには、大学創始者である西園寺公望が揮毫《きごう》したとされる『立命館』の文字が右から大きくプリントされていた。渡米後すぐに、そのシャツはピッツバーグ大パンサーズの50人以上のチームスタッフたちに手渡された。

その〝お返し〟に、行きはいっぱいにポロシャツが入っていた防具入れバッグに、帰りは入りきらないほど大量のプレーブック（厚さ10数センチもあった）や16ミリフィルム、ゲームリザルトの分析シートなどの〝お土産〟をピッツバーグ大からもらい、二人は帰国した。岡本は、これらをもらった時に驚嘆した平井の表情を今も忘れられないという。

「（僕は）平井さんと一緒にいればいるほど、『どうにかしてこの人を胴上げ（＝優勝）してあ

げたい』という思いが、ものすごく湧いてきた」（岡本）

本場である米国の大学には、ヘッドコーチをサポートする自分と同じ役割の人間が当たり前のように大勢いた。中でもヘッドコーチを支え、裏でチーム運営を仕切っているアスレチックディレクターという存在に、岡本は自分のやっていることが間違っていないことを確信した。

踏み出した〝パンサーズ〟近代化への道

ピッツバーグ大からもらったプレーブックには、プレーする選手たちが迷いなく動けるように、平井の手元にあった専門書とは比較にならないほど、細かな指示が書き込まれていた。平井はこれが本物のプレーブックか、と痛く感心した。

そこにはコーチの仕事に関することも記されていた。その内容は、各コーチの業務分担や年間計画、毎日の練習メニューとタイムテーブル、ゲームデーの詳細なスケジュール、選手の行動規範や単位取得などが多岐にわたって書かれていた。

練習の様子を見ていても新たな発見があった。コーチは、ドリルの始めに練習の狙い、方法と注意点を説明し、いざ練習が始まるとたとえ選手が違った動きをしていても途中で止めることなく、10分ごとに別のドリルに移る。これがテンポよく進められていた。また、アシスタントディレクターの会話からは、学習支援に対するチームの手厚い配慮もうかがい知れた。

ピッツバーグからの帰りの飛行機の機内で、平井は岡本に、自分たちも彼らと同じように10分のメニューを作り、それを意思伝達するために、各ポジションごとにリーダー（＝パートリーダー）を作ると明言した。岡本は頭を抱えたが、平井の意思は固かった。

原谷グラウンドに戻ると、すぐにパートリーダーを決め、平井が提案した練習メニューをリーダーたちと岡本で調整して、日々の練習に組み込む作業が始まった。パートごとのメニューが終わり、スクリメージなどの全体練習が始まったくらいの時間に、仕事を終えた平井が合流することもあった。メニューが予定通りにこなされているかどうか、何が起きたかを平井に報告するのが岡本の日課となった。

翌87年は岡本が今度は学生をピッツバーグ大へ連れて行った。選手だけでなく、マネージャーとトレーナーも連れて行くことで、本場ではどのようにそれぞれの役割が行われているかを、学生たちの目で直《じか》に見て学んでもらうことができた。翌々年の渡米メンバーの中には、4回生になったばかりの新主将のＤＬ古橋もいた。古橋にとっては初めての米国だった。

この時、学外研究員として先にピッツバーグ大に留学していた産業社会学部の川口清史教授

（のちに立命館総長／07〜15年）の世話になった。これをきっかけに川口もフットボールの魅力に取りつかれ、帰国後もチームのことを気にかけてくれるようになった。

この年、ピッツバーグ大の体育局の許可を得て、チーム名の「PANTHERS／パンサーズ」を、立命館のニックネームとしても使わせてもらえることになった。「立命館アメリカンフットボール部パンサーズ」の誕生である。

ピッツバーグ大での見聞を、平井はのちにこう書き残している。

「初めて垣間見た本場のアメリカンフットボールの規模の大きさと詳細な計画に基づく合理的な練習システムに刺激を受けて、我々も新しい知識の導入による近代化への道を歩み出すことになった。これまでのチーム作りの手法に大きな発想の転換を与えてくれた価値あるピッツバーグへの旅だった」（『部の歩み』より）

ファン作りとイヤーブック制作

手探りながらも、新しいことには積極的に挑戦していく。

そんなムードがチーム全体に広がっていた時期だった。平井や岡本、同行した学生たちがピ

1988年春、ピッツバーグ大へ研修に行った4回生たち。向かって左からWR嘉田龍人、CB清水賢、一人置いてCB寺元歩、DL古橋由一郎、RB小澤仁

ッツバーグ大で本場のフットボールから感じた新しい風は、良い意味でチームをアメリカナイズさせ固定観念を打ち破った。

岡本の発案で、学生主体でチームのイヤーブックの制作が始まったのは86年からだった。当時、制作に携わったのはマネージャーの長谷川（旧姓・平井）敦子だった。

「強いチームの条件はいくつかあるが、幅広いファンがいるというのもその一つです。関学、京大に次ぐ実力をつけ始めていた85年、一人でも多くの人に立命館大学グレーターズ（当時）を知ってもらい、一人でも多くの人にファンになってもらえたら……という思いで制作を企画しました。当時、イヤーブックを出していたのは、関学と京大のみ。ファン作りの面でも何とか両チームに追いつこうとしていました。しかし、制作を企画したのはいいが、ノウハウも、資金も何もない状態でのスタート。手探りで作ったイヤーブック第1号は、表紙のみカラーのモノクロ18ページで、メンバー表に毛が生えたような代物でした」（長谷川）

ファン作りにおいては、当時、試合会場に来てくれていたのは、選手の家族とガールフレンドくらいのもので、まだ純粋なチームのファンとは呼べなかった。

「このままではいけない」と、岡本は学内でのフットボールの啓蒙活動の必要性を感じ、選手たちに自分のゼミの教員を連れて来てもらって、ビデオを観ながらフットボールをレクチャー

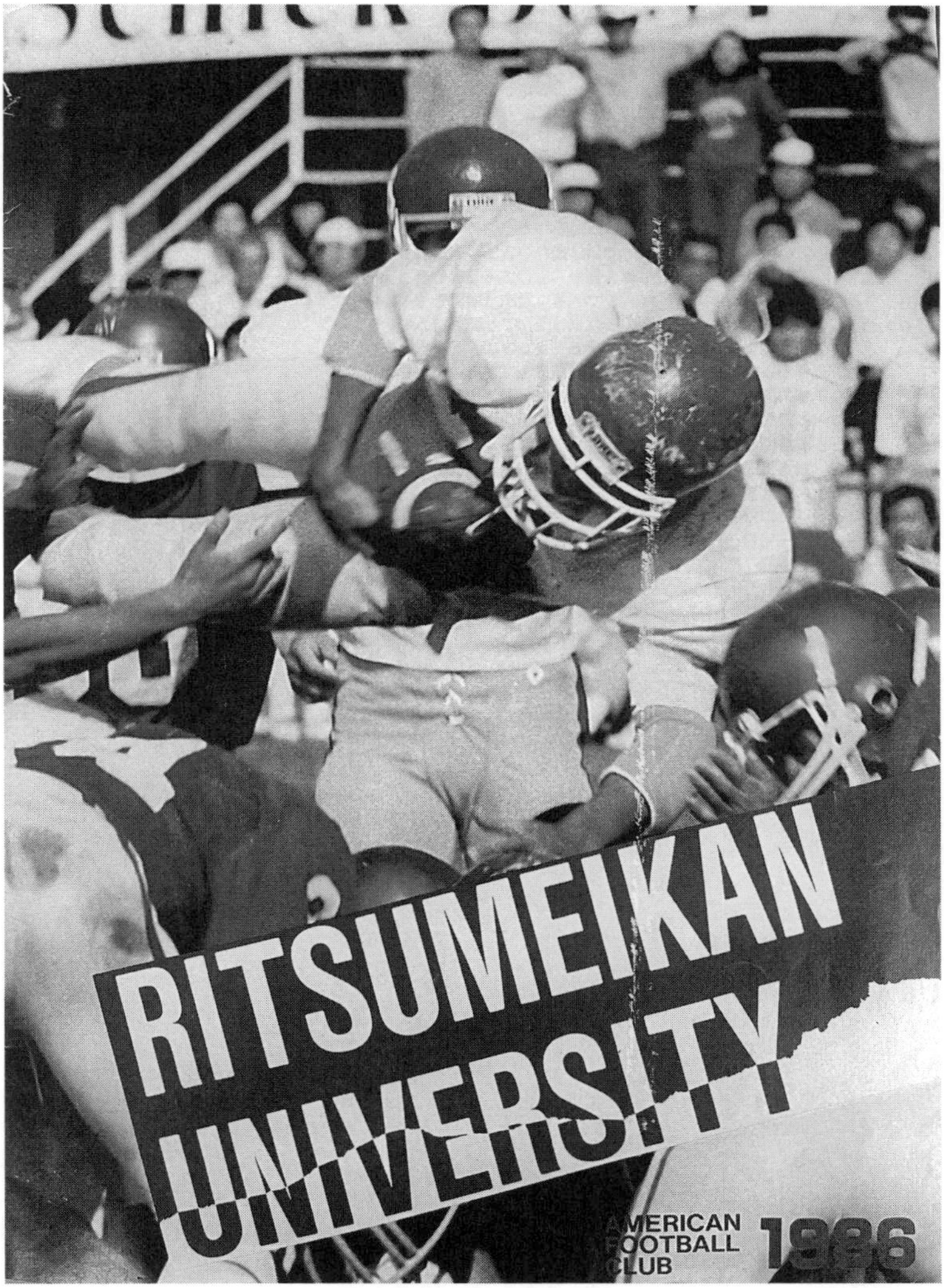

創部以来初めて制作したイヤーブックの表紙（1986年度）には、対関学戦のRBがダイブする写真が。“関学を飛び越えたい”、そんな作り手の想いが伝わってくる

することを思いついた。

教員だけでなく職員にも声を掛けると、少しずつだが来てくれる人も増えていった。そうした行動を続けることで、スタジアムに一人、また一人と、〝チームのファン〟が足を運んでくれるようになっていった。

知恵を絞って、汗をかいて、自分にできることをやりながら、一歩また一歩と前に進む。岡本のこうしたアイデアと行動が、着実に学内での〝ファン〟を増やしていった。

実施されたスポーツ強化策「スポ選」

「総合スポーツ政策」に付随した施策の中で、岡本をはじめその後に連なるコーチたちの職員採用を可能にした「専任トレーナーおよびコーチの確保」と並び、チームに大きな前進をもたらしたのが「スポーツ能力に優れた者の特別選抜入学試験」(以下、「スポ選」)だった。立命館の「スポ選」は、86年に採用され、87年から実施された。

その頃のチームは、QB白崎裕敏、DE山本不二夫らリーグを代表するような大粒のアスリートが揃ったこともあり、85年は5勝(同率2位)、86年は3勝(同率4位)を挙げていた。

京大・水野監督も優勝候補の〝ダークホース〟として、立命館を脅威に感じ始めていた。

全学的に実施された「スポ選」で特筆すべきは、フットボール部の出願資格要件には「フットボール以外の種目を行っていた者」も対象とされたことだった。これは平井が強く要望し、岡本が学内を奔走して実現した、フットボール部特有の出願資格だった。

これにより、様々な競技経験者の中から優れたアスリートを選抜することが可能となり、他大学の「スポ選」に対して、フットボールの枠にとらわれない優位性を保つことができるようになった。こうしてのちに、相撲や柔道、陸上競技、野球やバスケットボールなどの競技から、高い運動能力を持った選手たちが入学し、全国制覇を狙うチーム主力選手へと育っていくことになる。

「スポ選」の記念すべき1期生には、フットボール経験者のQB古澤宏和、TE高松庄治、RB横井孝明、DL小川洋、廣内和之のほか、陸上競技からWR赤尾和則の6人が入部した。野球部では、プロ野球のオリックスから渡米しメジャーリーガーとなった長谷川滋利も入学し、全体育会では予定枠の100人を超える入学者が立命館の門をくぐった。

「スポ選」施行前年に学生部長となった松岡正美（元常務理事）は、その意義をこう強調している。

「大学紛争以来、何としてでも抜本的な改革をしなければならないと思ったのは、体育会活動の弱さと立ち遅れだったのです。（中略）立命館の『スポ選』は、日本で初めての公明正大なスポーツ特別入試でした。それに対する学内の反対は、学生課内を含めてあったけれども、教授会の合意を得て、全学的に『スポ選』を実施できた意義は誠に大きかったと思います」

確かに、筆記試験で現代国語と英語を導入し、一定以上の学力を持った学生を担保したという点では、立命館におけるスポーツの在り方として一つの見識を示したといえよう。オリンピック選手もインターハイ上位入賞者も、皆が同じように試験を受け、合格ラインを越えなければ入学することは叶わなかった。当然、フットボール部でも立命館を受けて不合格となり、ライバル校に入って活躍する選手たちも少なくなかった。それでも、立命館が合格基準を変えることはなかった。

充実していくコーチング体制

「スポ選」の開始と時を同じくして、「専任トレーナーおよびコーチの確保」をより強める動きも出てきた。それまで外部コーチだった平井が大学専任職員として採用されることが決まったのもその一つだ。平井は職場を円満退職し、サラリーマンから、よりフットボールの指導がしやすい環境へと転職した。平井のフットボール人生の一つの転機であった。

これにより平井は、それまでのサンデーコーチから、平日の業務時間終了後にも練習参加が可能となった。また、今では当たり前になっている多人数コーチによる指導体制も、当時は画期的かつ斬新な取り組みだった。すべて、低迷していた〝スポーツ立命〟の再起をかけて、全学的な「総合スポーツ政策」の一環として行われた施策の賜物であった。

大学職員となることで、平井が学生と接する時間は圧倒的に増えたが、初年の87年の戦績は、前年同様3勝止まりで5位と順位を落とす結果となった。

成績が伸びなかった原因は、従来の学生主体のチーム作りから、コーチが主体的に進める新たなスタイルへの移行に伴い、チーム内でハレーションが起きたことだった。

現実を見れば、部員は150人を超え、主将と幹部数人で統率できる規模ではなくなり、複数コーチによる、中長期的な組織作りが必要な時期に差し掛かっていた。

79年度以降、フットボール部のステップアップの転換期と歩調を合わせるように、83年度、87年度と「全学協議会」で「総合スポーツ政策」が打ち出され、専従専門トレーナー、コーチの配置、原谷グラウンド諸施設の整備、練習機器の設置やコーチ招聘の援助がチームの高度化を後押しした。

その結果、フットボール部は1部リーグに定着し、「スポ選」の実施により、さらなる高みを目指せる環境が整いつつあった。そんな中、こうした学園スポーツ振興政策の展開と政策の具体的な成果を踏まえて、大学では「総合スポーツ政策の到達点と当面する課題の政策的展開について」（89年3月22日常任理事会）の政策提案が承認され、同年4月に、課外体育委員会の下に「強化対策プロジェクト室」が設置された。

そして、次の6項目をその年の重点課題とし、競技力向上のための課題をクリアすべく、日常的な推進を図ることとなった。

① 指導者の強化、（イ、指導者の強化、ロ、重点パートへの専任コーチの配置、ハ、強化費によるコーチの招聘など有効な施策の展開）
② 科学的トレーニングの強化
③ 学生自身の力量向上
④ スポーツ特別選抜入試の積極的展開
⑤ 各部の部長（専任教員）の役割の明確化と強化

⑥ 学生課の体育担当の業務・役割の明確化と強化

続けて2年後の91年には、前6項目の対策実績を踏まえた上で、次に示した各クラブの喫緊で具体的な課題解決に向けて、即応性をもって対処することになった。

第一、全国制覇をする課題
第二、総合的力量の基本である科学的、理論的なスポーツ論の獲得
第三、指導体制や指導の在り方についての制度を含む検討の必要性を新たな問題として取り組むため、「強化対策プロジェクト室」を発展的に改組し、課外体育委員会の下に「スポーツ強化対策室」を設置して、多様な課題に常時対応できる体制をとる

この頃、フットボール部にとっての喫緊の課題は、関学、京大に対応できる指導体制の充実だった。

88年度には、筋力トレーニングの強化のために、岡本と同じ日体大からストレングスコーチとして田中幸治を採用し、フィジカルの強化を図った。また、学内で英語の講師をしていたピッツバーグ大出身のジェフリー・マティーも臨時のOLコーチとして加わった。翌89年には、守備の専門コーチとして、日体大で守備選手として活躍し、高校のコーチをしていた嘉原淳一を招聘。さらに、88年に4回生で主将だったDL古橋が卒業と同時に大学の専任職員として採用され、平井と同じく業務終了後に部員の指導に携わることになった。

これで、専従専門トレーニングコーチの岡本と田中、競技を担当していた専任職員ヘッドコーチの平井の3人体制から、ディフェンスに専従配置の専門競技コーチの嘉原と専任職員となった古橋の合計5人＋臨時外人コーチ一人という充実したコーチング体制で、日常的な指導が可能になった。

オフェンス（平井、マティー）、ディフェンス（嘉原、古橋）、トレーニング（岡本、田中）の3部門に役割分担することで専門化が進み、徐々に関京（関学、京大）に比肩するだけの指導体制に近づいていった。

「優勝候補」としての足踏み

89年、嘉原、古橋の両ディフェンスコーチの加入で一気に強化されたコーチ体制で、いよい

ディフェンスには、日体大から嘉原（LBコーチ兼守備コーディネーター／写真右下）、のちにDBコーチとして丸山浩史（写真右上）も加わり、DLコーチの古橋を含めて３人体制となった

よ本格的に2強（関学、京大）への挑戦が始まった。

特に嘉原は、ディフェンスの戦略指導において敵チームの特徴を分析するスタッフの重要性を求めた。岡本がピッツバーグ大でもらってきたデータを示したところ、嘉原はハーフタイムで同様の結果を利用したいと強く要望した。そこで岡本は、表計算ソフトを用いた分析システム（マクロプログラムの利用）を作成し、試合中に嘉原が必要とするデータを学生スタッフらが提示できるようにした。当時、トレーナーらが専門的な活動を少しずつ始めていたことに加え、新たに「支える部隊」としてアナライジングスタッフが試行錯誤しながら活動を始めた時期であった。

その年の秋は、京大には勝ったが（○14－6）、躍進した近大に敗れ（●12－28）、関学には●20－28で敗北し3位。

翌90年には「スポ選」の1期生が最終学年を迎え、彼らが期待通りの力を発揮して、ついに2強に勝利（○14－7京大、○13－12関学）したが、初戦の神戸大学（以下、神戸大）戦を取りこぼし（●7－10）、近大に引き分け（△17－17）と、最終成績は5勝1敗1分としたものの、京大が1敗を守り切ったため、2位に甘んじることとなった。

この年には、大学と関西大倉高等学校（以下、関倉高）との教学提携に基づく「スポーツ推薦入学制度」(以下、「スポ推」)が始まり、「スポ選」とは別に新たな選手確保の道が拡がった。指導体制では、嘉原が専任職員となったため、空いた専従枠に日体大から嘉原の後輩に当たる丸山浩史がDBコーチとして加わった。

アイデアマンだった嘉原の発案で、ファンを増やす狙いもあり、フットボール部のロゴマークが「R」から豹の足型に変わったのも、この年からだった。

期待された91年は、関京に敗れ(●10－28関学、●17－21京大)3位に終わった。

92年は関学には勝利(○17－10)したが、同志社戦で取りこぼし(●7－24)、京大に残り22秒で逆転を許して(●21－26)同率2位止まり。この年は、大阪産業大学附属高等学校(以下、大産大高＝当時。現大産大附高)から入部して1回生から先発し、〝天才RB〟と呼ばれた堀口靖が最終学年を迎えていた。シーズン1105ヤードを走り、立命館初の「1000ヤードラッシャー」となったが、惜しくも優勝には手が届かなかった。

迎えた93年は、立命館の理工学部に非常勤講師として勤めていた宅田裕彦(70年代後半の京大で名を馳せた名QB)が臨時QBコーチとして練習に参加した。それまでQBのポジションコーチに頭を悩ませていた平井とオフェンス陣にとっては、願ってもない助っ人となった。

宅田の指導で、4回生QB来住野将丈はリーグトップタイの10TDを挙げて気を吐いたが、またもや僅差で2強の壁に跳ね返された（●20－22関学、●22－26京大）。大産大高からQB東野稔が入学したのもこの年でもあった。

この頃の立命館は89年からの5年間で、3位、2位、3位、2位、3位と、毎年あと一歩のところで涙を飲んでいた。

それでも、「なぜ勝てないのか？」と苦悶し悩み続け、チーム全員、コーチや選手個々が格闘しあがき続けた日々はやがて、栄光の未来へと集約されていくことになる。

打倒、関京。葛藤の日々

この頃、秋季リーグ戦が近づくと、グラウンドには『打倒関学、打倒京大』の看板が掲《かか》げられ、入口には試合当日までのカウントダウンを示す日程表が設《もう》けられ、皆が集中力を最大限まで高めて練習に取り組んでいた。

毎年、チーム全体がピリピリとした雰囲気の中で、2強との対戦に備えていた。試合直前には合宿を組み、深夜までVTRを観て相手選手をスカウティングして分析した。選手たち、特に4回生たちは修行僧のように頭を丸めて一心に集中した。控え選手を中心としたダミーチー

京大の水野彌一をして“飛び道具”とまでいわしめたRB堀口。「♯39」はこの時から憧れの番号となり、受け継がれていった

ムは関学の青と京大の緑のユニフォームとヘルメットに身を包み、本気で先発チームに挑んで本番さながらの緊張感を演出した。

その象徴的な存在として、平井や岡本、嘉原らコーチはもとより、多くのOBがその名を口にするのがLB西口憲一（91年度卒）だ。現在、西日本新聞社で運動部編集委員を務める西口は、筋肉隆々だった学生時代とは真逆のスマートなインテリジェンスを醸し出す。

「（今思えば）試合に出るか出ないかは関係なく、どんな役割であってもチームから必要とされるのは幸せなことだと思います。あの時の私は……特に3回生以降は、いつも〝誰かのために〟戦っていた気がします。LB三輪（邦雄、90年度卒副将）さん、DB波田野（義己、同上）さん、そしてDE金ちゃん（現姓・岡本吉範、91年度主将）、ディフェンスBチーム（＝ダミーチーム）の後輩のためです。自分のために頑張るのは限界があります。そうやって、皆と心を通わせながら日々戦うことで、弱い自分を必死に奮い立たせようとしていたのかもしれません」

ディフェンスコーチだった嘉原に、オフェンスのAチーム（先発＋二番手）に負けるな、と鼓舞され、関京になりきって何度も何度も猛然と当たりにいく西口の姿を見て、周囲は自分もやらねば、と奮い立った。関京ディフェンスになりきることで、ダミーチームがどれだけ練習

リーグ戦の最中、坊主頭の西口が試合出場中、同期LB向井健文の背中に両手を置いている。常に言葉じゃなく態度で示す、西口らしいシーンだ

しているかも分かった。嘉原はディフェンス強化のためには、チーム内での競争意識が必要だと、選手たちを諭《さと》した。高校教員を経て、のちに仏門に入り、現在は淡路島で寺の住職を務める嘉原の教えは、深く温かかった。

全員がどのような練習をすれば勝てるのか分からない不安と焦りの中で、相手はもっと練習している、もっともっと練習に真剣さが必要だ、と互いに叱咤激励しながら、納得するまでプレーの精度に磨きをかけていた。

時には、練習内容が生ぬるいとコーチに訴える選手も出てくるほど、コーチと選手の殺気立った雰囲気と緊張感の中で、練習は夜遅くまで続いた。

それでも思うような結果が出ずに、チーム内の苦悩は深まりプレッシャーも大きくなったが、その悔しさをエネルギーに変えながら、次世代への力として濃縮し、受け継いでいった。

今、平井は自戒を込めて語る。

「部員の必死の努力にもかかわらず敗戦が続いたのは、ヘッドコーチとしての私の試合運びの拙《つたな》さが一因だった。米国ではすでに行われていたことだが、あらかじめ予想される局面ごとにプレーを細かく切り出しリスト化して、『スクリプト』と呼ばれるゲームオペレーションシートを作成して試合に備えるのが一般的だったが、その方法が取られていなかった。試合の準備では、過去の試合分析に基づく効果的なプレーの選択と練習の積み重ねによって、熟練したプレーをいつでも正確に自由自在に使いこなす力を養成することが求められていた。強豪チームではすでに常識的だったこうした準備ができなかったことで、選手の能力を十分に引き出せなかった」

そして、勝利の女神は、学習し緻密な準備をした者だけに微笑んでくれるようだ、とつけ加えた。

平井監督就任とBKC移転

80年代後半は大学のバックアップのおかげで、チームとしての基盤が整いつつあった。89年から大学の専門職員としてコーチングしていた古橋も、93年に大学が新たに取り入れた「課外スポーツでの在籍専従制度」第1号として、専任職員から専従職員（大学職員としての身分を保証されたまま部活動での指導に専従する職員）となり、古橋の指導パートである守備ラインのさらなる向上が見込める体制となった。平井は、「90年代に入って2回関学に負けて、やっぱりディフェンス、それもラインだ」とDL強化を心に決めていた。

監督の仁ノ岡も「何かあれば責任を取る」つもりで、25年間も平井を護《まも》ってきたが、平井の周りを固める頼り甲斐のあるコーチたちに目を細めながら、そろそろ、と平井に監督になることをすすめた。自身は総監督として継続してチームをサポートしていくことを誓うと、平井は厳粛に監督を拝命した。93年のことだった。

平井が監督となって最初のシーズンが終了すると、思わぬ話が舞い込んだ。翌94年から練習拠点を移転してはどうかとの打診だった。

立命館は、かつて広小路キャンパスから衣笠キャンパスへと一拠点化を図ったが、その後、学生数が増え、さらに理工学部の拡充が大きな課題となっていた。そこにきて滋賀県草津市が、大学移転を条件に広大な土地の提供を申し出ていた。それが現在の「びわこ・くさつキャンパス（以下、ＢＫＣ）」である。

15万坪（東京ドーム約10個分）を有するＢＫＣへの移転は、89年秋には理工学部の教授会で承認されて以降、綿密な計画の下、水面下で進められていた。ＢＫＣには、理工学部の移転と開学と同時に、広大な土地を活用して、グラウンドと体育館、トレーニングルームなどが完備されることが決まっていた。

当時、大学（衣笠キャンパス）近くの原谷グラウンドでは、フットボール部以外に、サッカー部、ラグビー部が輪番で2部が半分ずつ使っていた。そのため3週間のうち1週間は練習時間が午後1時から4時となり、早番と称するこの週は授業との重なりが増えて欠席者が多くなるため、限られた練習のみでチーム練習はできなかった。

さらに、チームは関西学生リーグで優勝が見えるところまできており、部員数はついに170人近くにまで膨れ上がっていた。そのため、オフェンス、ディフェンスに分かれて練習せざるを得ず、パス練習などは十分にできないありさまだった。

移転すれば、これらキャパシティの問題は解決する。しかし、移動時間は1時間半となり、全部員の9割以上の学生には大きな負担となる。新入生が敬遠する可能性も出てくる。

それでも平井は、ＢＫＣはリスクよりも将来的な発展が期待できる、潜在的可能性の大きい魅力あるキャンパスだと考えていた。

勇気ある決断でＢＫＣ移転決定

平井がコーチたちに移転の話をすると、彼らは多少驚きはしたが、現状を打開するきっかけになると、肯定的に捉えてくれた。

部員たちにも同様の説明をして意見を求めた。

当初、移転する理工学部の学生以外は、全体的に否定的なムードだったが、「スポ選」に加えて関倉高からの「スポ推」入学者が増え、部員の半数以上が高校フットボール経験者だったこともあり、練習環境が格段に改善されることに魅力を感じた選手も少なくなかった。

監督の平井は、部全体の結論は監督やコーチからの押しつけではなく、部員全員が議論できるグループ編成での意見集約によって出すべきだとした。目標を「関西学生リーグ制覇」に定め、その目標達成に向けた活動を柱に据えて、移転議論を活性化させていった。

自由な議論や意見が必要だとし、コーチと主将をはじめとする幹部ミーティング、各パートリーダーミーティング、学年別やグループ別のミーティングなど、縦横に風通しのいい組織を作り、学年や部内役職に関係なく積極的な意見交換を促し、建設的な話し合いを積み重ねた。

結果、総論として部員は移転反対の意思を当初は示していたが、再三にわたる大学からの強い要請と強力なバックアップの申し出を受け、さらに話し合いを深めた結果、最終的に部員たちもリスクを取ってでもチャンスに賭けることを選んだ。

最後の決め手となったのは、リーグ優勝への強い欲求と仲間との結束だった。練習環境が格段に改善されて理工学部の14人にプラスとなることを、まだ見ぬ頂点に辿り着くきっかけとしたい、そんな思いが、チーム全体をＢＫＣ移転へと突き動かした。

期せずして、この時に取った民主的な合意形成の形は、立命館が戦後間もなくして取り組んできた全学参加型の「全学協議会」で示されてきた〝立命館民主主義〟的な問題解決法であり、もっといえばフットボールの特徴である、現状分析から論理的に考え、合理的な結論を導き出すという思考法の賜物でもあった。

こうしてＢＫＣ移転を機にチームは再び結束し、未来に向けて動き出した。

プレッシャーの中で突入したシーズン

94年。夏前には、練習拠点のＢＫＣへの移転が完了していた。

ＢＫＣでは、オフェンスとディフェンスがそれぞれ、正規のフィールドで練習することが可能となり、ウエイトトレーニング施設は大勢の選手が一挙に利用できた。また、雨天でも体育館を利用して練習ができたため、練習計画を大きく変更せずともメニューをこなせるようになった。さらに、選手全員が一度に使える更衣室やＢＫＣ建設現場施設を利用したマネージャーやアナライジングスタッフ、トレーナーの専用室、ミーティングルームが確保された。ミーティングルームには対戦相手のスカウティング用VTRもセットされた。

懸案だった移動時間の問題は、練習時間と内容を従来のものから一変させることで解消した。全体練習が不足する分、選手個別の自主練習とパートごとのグループ練習を臨機応変に組み込んだ。授業のある平日の練習時間を減らして、休養日を増やし、その分、休日に強度を上げた練習を集中させるなど、学生、コーチの様々な事情に合わせた、いわば企業の〝フレックス制度〟を導入したような新たな取り組みだった。

試行錯誤しながらも、練習拠点の移転に伴って、例年以上に、必然的にチーム内でのコミュニケーションを取ったことが、その後のビッグシーズンを乗り越えられた大きな要因だったともいえる。「確かに大変だなって雰囲気はありましたが、そこまで後ろ向きなことをいう人はいませんでした。むしろ、それまで原谷と衣笠で分かれて練習していたのが、みんなで一緒に練習できるようになったというのが僕は嬉しかったですね」。当時2回生で、初めての先発でシーズンを迎えたQB東野稔（現OBOG会副会長／96年度主将）の弁だ。

しかし、リーグ戦で勝てなければ、「移転したから負けた」といわれる。平井だけでなく、学内で移転に関する諸条件などのやりとりをしていた岡本にとってもあの時だけは、移転が決まるまでの1か月間は寝られなかったという。移転が失敗すれば、もしかして部を潰すことに

BKCの空撮写真。1994年、滋賀県、草津市、立命館大学の3者が取り組む、新たな“学園都市化”がスタートした

もなりかねない。その時、ＯＢＯＧたちに何と詫びればいいのか。それほどのプレッシャーの中で、彼らは秋のシーズンを迎えていた。

京大撃破、関学との全勝対決へ

新天地での最初のシーズンは、京大が優勝候補最有力と謳《うた》われた年だった。

ＱＢ小川賢司、ＷＲ杉本篤（95年ＱＢで甲子園ボウルＭＶＰ）、ＤＥ伊藤重将（95年主将で年間最優秀選手賞＝チャックミルズ杯受賞）、ＤＥ阿部拓朗（96年ライスボウルＭＶＰ）ら、監督の水野をして「京大史上最強」といわしめるだけのメンバーが揃っていた。

再び、〝京大旋風〟もあって専門誌が『燃えて、炎の関京戦』と題した増刊号を出すほど、関西でのフットボール人気は高まっており、秋が近づくと関西エリアのテレビや新聞は、過去8年間で4勝4敗と互角の戦いで大学フットボールを盛り上げてきた2強の対戦を盛り上げた。前年2強に敗れていた立命館は、第5戦で京大、第6戦で関学との対戦が予定されていた。

京大との京都勢対決は、西宮スタジアムでの初の全勝対決（ともに4勝0敗）となった。試合は戦前の予想通りディフェンス勝負となる。鉄壁を誇る京大ディフェンスは、ゴール前までは行かせてくれるがエンドゾーンは割らせてくれない。しかし、立命館も我慢して、K佐藤正治の4本のFGで前半を12－0で折り返すと、徐々に心理的に優位に立つ。さらに、後半もう1本FGを決めて、TD2本＋TFP以上の得点差に広げた。結局、立命館は京大に第4Qまで得点を許さず、◯15－6で勝利し、全勝を守った。岡本はいう。

「あの時、試合後すぐに水野さんがベンチに走ってきて、『お前らようやった。完敗や』と平井さんに握手を求めたんです。その時、水野さんの懐の深さに感銘を受けました。京大だけでなく立命館も強くなることによって、関西のフットボールが強くなると考えていたと思う」

翌年、翌々年と京大は立命館を倒してリーグを連覇し、この年の雪辱を果たすことになる。だが、この時の勝ち負けだけではない、互いに切磋琢磨してきた相手を讃え合う光景はただただ美しかった。

運命の一戦は前半10－0でリード

94年。迎えた、関学との頂上決戦。試合会場の長居球技場には、2万人の観客が詰め掛けていた。

2回生にしてすでにエースQBとなった東野は、大一番を前に、一試合を通じて平常心を保つことを心掛けていた。

「あの年は、前の試合の京大戦もそうでしたが、オフェンスの不調もディフェンスがカバーしてくれていたので、僕が気をつけたのは、（パスを投げる際に）できるだけ早いタイミングで放ることと、ボールを置きにいかないようにということ。ボールを離すタイミングを逃すとDBに前に入られるので、そこだけは集中してやっていました。試合序盤は自分で持って走って、自分なりのリズムを作るというのが僕のスタイルだったので、あの試合でもそこは変わりませんでしたね」

試合は、京大戦で全得点（15得点／FG5本）をその脚で叩き出したK佐藤のFG成功で、立命館は幸先の良いスタートを切った。

第2Q、DB高橋成征（94年度副将）がブリッツで関学QB村岡敬介のファンブルを誘発。自身で押さえて、関学陣13ヤードで攻撃権を奪うと、その直後、東野から芝原穣（95年度卒）へのパスでTD。RB横川好治（95年度副将）のフェイクからWR中野健太郎（94年度卒）へのリバースフェイクのパス。レッドゾーンに入ってから使おうと、試合前に準備したプレーだった。この時点で、立命館10－0関学となり、試合はそのまま後半へ。前節の京大戦と同様に強力ディフェンスの本領発揮か、と思われた。

ところが、後半最初にキックオフされたボールへの関学DB二木淳の値千金の猛タックルで立命館がファンブルし、関学がリカバー。関学応援団のメインスタンドがどっと沸き、モメンタムが関学に流れ始めた。

すると試合前にこれだけは止めたいと立命館ディフェンスが対策していた、関学エースRB前島純（現関学WR前島仁の父親）のランが出始めた。この試合で、関学が前島のインサイドゾーンを試合の軸としてくることは十分分かっていたのに、だ。

「前島のゾーン、ドローを止めなければ勝てない。だからこそ、ディフェンスのプレーコールは、ほぼどこからかブリッツを入れてDBもマンツーマンでゾーンを止めにいっていた」と立命館のDB高橋は試合を振り返る。

分かっていても止められない。それほどまでに鍛錬されたランプレーでジリジリと攻め込まれ、後半は一転して関学ペースとなった。

第3QにFG2本、第4Qに入っても前島にエンドゾーンに飛び込まれ、ついに逆転を許した。スコアは立命館の10-13。この試合、初めて関学にリードされた。

この時、立命館の応援席には前年の悪夢がよぎった。いや、過去32対戦中2度、1部復帰後でも13対戦中2度しか、関学には勝っていないという現実が目の前にあった。

ただ救いだったのは、試合の残り時間がまだ8分近くあったことだった。

栄光への、51ヤード逆転パス

一方、関学も自信に満ちていたわけではなかった。

前のシリーズはいいムードで終えたが、立命館でパンターも兼務するキッカー佐藤の蹴ったパントボールに、慎重になっていた関学リターナーは触れない。ファンブルからのターンオーバーを恐れていた。前の目にいるのは王者・関学ではなく、明らかに立命館に脅威を感じている青い軍団だった。結果、パントボールは前に転がり、関学は自陣の苦しい位置からの攻撃となった。

そして手詰まりとなった関学は、このシリーズをパントとした。

3点を追い掛ける東野と立命館オフェンス陣。目指すエンドゾーンまでは81ヤード。

再び、東野が振り返る。

「(コンビのWR下川真司が）モーションした時にマンツーマンになった時点で、奥（ポストに走ったＷＲ芝原）に投げるイメージが持てたんですよね。タイミングで奥に投げられるなと。ウチのポストはレシーバーが結構縦に伸びていくので、中には切り込まず、縦目に（投げた）ボールを背にするというのがちょうどよかった。あれが関学に奥にゾーンを敷かれると嫌だった」

ロングドライブのポイントとなった、芝原へのパスのことだ。第3ダウン残り12ヤードで選択した左サイドのポストパスは、縦目に走る芝原の胸に見事に吸い込まれた。なんと51ヤードのロングパスが成功したシーンだった。

このパスで、ゴール前16ヤードまで迫った立命館は、勢いそのまま二つのランプレーで残り3ヤードまで進むと、ダウンを更新したＲＢ横川は右手を突き上げながらベンチに戻った。

残り時間は2分を切り、刻々と時計は進んでいく。立命館オフェンス、このシリーズの締めくくりは、4回生でエースのＲＢ中村友をおとりに使った同期のＲＢ中野貴裕のカウンターだった。再びＴＤを獲ったこのプレーも対関学戦ゴール前用に準備してきたものだった。佐藤が確実にＴＦＰを決めて、スコアは17－13。ついに立命館が逆転した。

試合残り時間は1分37秒。関学はＦＧでは追いつけない。立命館は再びディフェンスチーム〝アニマルリッツ〟を送り出した。

立命館の“ザ・ドライブ”というべき、1994年、対関学戦第4Qでの逆転TDシリーズ。ロングパス成功で魅せた2回生QB東野によって、立命館が先の見えない壁をついに乗り越えた瞬間だった

そしてフィールドに放たれた野獣たちは、思う存分に暴れまわり、関学オフェンスを崖っぷちに追い込んだ。残り時間1分14秒で関学の第3ダウン10ヤード。最後のパスを投じた関学QB村岡は、後年、その瞬間のことをこう語っている。

「時間を止めないといけないあの場面では、外へのパスパターンが選択肢として入ってくるのですが、そこでシーズンを通じて使ってきたインサイドレシーバーのスピードアウトを選んだ。内からDBが見えたので少し高めに投げたのですが……。それで万事休すという感じでしたね」

最後のプレーで、立命館ディフェンスは、この試合でほとんど見せなかったゾーンディフェンスを敷いていた。アンダーゾーンを守る3回生CB佐藤紀之は、入ってきたレシーバーの前に入り込んで、投げた村岡の想像を絶するジャンプを見せ、両手でがっちりとボールを奪ってみせた。まるで王者の頭上から冠をもぎ取るがごとく。

タイムアップ。

最終戦の京都産業大学（以下、京産大）戦をまだ残してはいたものの、前節の京大、そしてこの試合で関学と、全勝だった2強を倒した立命館は、ついに創部以来初となる1部リーグ優勝を達成した。BKCへ移転したその年に、目標に掲げた「関西学生リーグ制覇」をその手で摑み取ったのだ。

“アニマルリッツ”象徴の一人、CB佐藤。長い手脚と驚異的な身体能力をもって関学の最後の望みを断った

実に、創部から42年目にして、悲願の1部リーグ初優勝だった。

#Third Down

「誇り」

1994 – 2008

優勝して変わった周囲の目

1994年、立命館大学アメリカンフットボール部は、創部42年目にして悲願のリーグ初優勝を遂げた。このリーグ制覇は大学内外に変化を起こした。

「94年は、もちろん優勝したこと自体がすごかったのですが、それ以上に、学内の学生、教員、職員、さらに卒業生であるOBOGまでもがグワーッと集まってきたのがすごかった。あの時は、ものすごい数の観客が入りました。甲子園はもとより、東京ドームに至っては関西からバスをチャーターして行って超満員でしたから」（岡本）

現在、佐賀女子短期大学で学長を務める今村正治は、当時、立命館で学生課長を務めていた。

「あの時は坂本和一（名誉教授／立命館アジア太平洋大学初代学長）先生に『NHKで放映されるのに観客が少なかったら大恥かくやないか』といわれて。（中略）ところが、全国から（OBOGが）集まって超満員でした。あれを見て、スポーツというのはすごいなと思いました。あの時のエネルギーが、それ以後の（立命館の）スポーツ政策の肥やしになりました。立命館の学生スポーツの長い歴史の中で、（94年の）アメリカンフットボール部の甲子園ボウル優勝とライスボウル出場というのは、明らかに時代を分けたと思います。これは80年以降の（立命

館の）スポーツ政策、教学政策の一つの到達点です」（今村）

大学として、チームスポーツで全国優勝を果たしたのは初めてで、その試合が正月にＮＨＫで全国に放映されたのだから、その反響の大きさは想像以上だった。

関西のフットボールでは、80年代の京大の台頭以来、10年以上続いた関学、京大の2強時代から、そこについに3校目の立命館が割って入った。その存在は、青の関学、緑の京大に加え、えんじの立命館という構図を生み、関西がついに〝3強時代へ突入〟したと、メディアでも大いに取り上げられた。

優勝以来、監督の平井の不在時も大学には日中ひっきりなしに取材依頼の電話が入った。当時はまだ、大学広報も対応マニュアルもなかった時代、職場では平井も周囲に気を使った。

立ちはだかった次なる壁

学生日本一を達成した翌年から、大学側の理解もあり、平井は古橋と同様、専従職員としてコーチに専念することになり、より一層、チーム運営に集中できる環境が整った。

意気揚々と新年度を迎え、初めてディフェンディングチャンピオンとして95年シーズンを迎えた。しかし、大学スポーツは毎年選手が入れ替わり、新たなチームとして秋を迎える。

この年は、前年に続き京大との全勝対決が同じく西宮スタジアムで行われ、試合展開も前年同様にディフェンス勝負となった。3－7で迎えた第4Q、QB東野が自陣奥深くからのロングドライブで、残り時間41秒で京大陣残り4ヤードまで攻め込みながら、最後の第2ダウンからの3回の攻撃でも、ついにエンドゾーンを割ることはできなかった。長く遠い4ヤードだった。

前年、試合後に「完敗や」と水野に言わしめた言葉が、3万6000人を集めたスタジアムのフィールド上で、今度は平井の心情として戻ってきた。

翌96年は、新たなコーチングスタッフが加わった。93年度卒で専門誌の学生オールジャパンにも選ばれたOL米倉輝（のちに監督／2009～17年）だ。かねてより平井は攻守のラインの重要性を認識しており、守備ラインコーチの古橋と、この米倉OLコーチ体制で、チームの主軸となるラインの基礎固めを図った格好となった。

この年は、関学が京大に勝ち、京大は立命館に勝ち、立命館は関学に勝って、1敗で並んだ3校が史上初の同率優勝となり、甲子園ボウル出場権を賭けたプレーオフに突入した。立命館は、最終戦の京大戦で右肩を負傷した東野に代わって出場した大橋正宜の活躍で、続く関学戦はモノにしたものの、再戦となった京大戦では4回生となったQB杉本、田中が率いるオフェンスを止められず、頂点を目前にして再び敗退した。

翌97年は、最終戦で京大に雪辱を果たしたが、第5戦で関学に敗れていたため、3年連続して甲子園ボウル出場はならず。一度は打ち破った2強の壁、だが、毎年、その壁が同じではないことを痛感した3シーズンとなった。

関京に追いつき追い越すところまで辿り着いたはずだったが、抜き去るまでには至らなかった。

「このままじゃいけない」

現状打破を誓った平井に新しい発想を与えてくれたのは、またしてもフットボールの本場である米国の大学とのつながりだった。

「平成ボウル」で生まれた新たな発想

90年から開催されてきた初夏のボウルゲーム「平成ボウル」は、92年から関西学生リーグ上位2校（前年）とNCAA（全米大学体育協会）からの招待大学2校が、それぞれ連合チームとなって戦う形で開催されていた。

出場校にとっては、米国選手と一緒にプレーできることはもちろん、本場のコーチの指導を直接受けられることが最大の利点であった。

94年に初優勝を決めた立命館にも、その〝ご褒美〟として翌95年から6年連続で、南カリフォルニア大学（USC）、スタンフォード大学（96、97年）、ミシガン大学、ノートルダム大学、アリゾナ大学と、全米でもトップレベルの大学強豪チームから、二人のコーチと8人の選手が夏に来日し、チームに加わって試合をした。

この時、来日したコーチは全米でも実力ある指導者でフットボールの最先端の技術や知識を持って指導してくれたが、実は日本人コーチたちは、春に事前に渡米して彼らの元を訪問し、意見交換をするというのが通例だった。その際、米国における最新の知識や戦術、選手の育成方法など、新しいアイデアを学ぶことが多かった。「平成ボウル」に出場の機会を得たことで、国内にいては吸収できなかったノウハウをチームに蓄積でき、コーチ陣に想像以上の効用をもたらしたのである。

この経験によって、選手たちも米国流のコーチングを知り、米国人選手の各段に違う体格、筋力、技術に接することで視野が大きく拡がった。

2001年までシャープがスポンサーとなって開催していた「シャープカップ平成ボウル」。1998年、
立命館はミシガン大との連合チームとして出場した

そうした本場の米国選手、コーチとの交流経験が、のちに、NFLヨーロッパ（NFL下部リーグ）に参戦する選手がチームから出てくるきっかけともなった。

94年以来の変化の年に

98年は、チームにとって、94年以来の大きな変化の年となった。

一つは、理工学部だけだったBKCに、経済学部と経営学部も移転したため、両学部に籍を置く選手たちはキャンパスへの移動問題が解消されたことだ。これでチーム全体の8割の学生が練習グラウンドのあるBKCのキャンパスで学ぶことになったのだから、不利が一転して大きなアドバンテージとなった。

もう一つは、本格的に米国人コーチの招聘を決めたことである。それまでは、縁故や学内の非常勤講師でフットボール経験ある米国人臨時コーチはいたが、明確な招聘を意図した米国人の候補者探しは初めてだった。

これには、学内の「スポーツ強化センター」の設置が大きく影響していた。従来の「スポーツ強化対策室」から発展的に改組され、有力な体育会競技部を対象として、全国制覇はもちろん、世界水準の選手の輩出を目指す高度な取り組みを後押しすることになった。

「スポーツ強化センター」は全国制覇を達成するための手立てとして、外国人スペシャルコーチの活用を積極的に提案したため、平井はこの提案を受けてすぐさま行動に移し渡米した。

当時、フットボール部にとって積年の課題は、攻撃力、特にパスアタックとその中心となるＱＢの育成だった。平井は実際に米国に渡ってＱＢコーチを探したが、米国内でもＱＢコーチは需要が高く、日本まで来て指導してくれる人材を探し当てるのは難しかった。

そこで頭を切り替え、今一度ディフェンスを再強化すべく、スタンフォード大でアシスタントコーチをしていたニール・カズマイアーザックに白羽の矢を立てた。契約は1年。限られた時間の中でチーム力強化につながるヒントを与えてくれることを期待した。

カズマイアーザックがチームにもたらしてくれたものの中で、特に、年間を通してのチーム作りの計画とそれを安定的に維持することの必要性に、平井は改めて気づかされた。カズマイアーザックは一度立てたスケジュールを変更することを極力避けるよう主張した。

決められたスケジュールに沿って決められた練習を反復して行う。当たり前のことではあるが、それが年間を通じて安定したチーム作りをするための必須条件であることが、その後のリーグ戦の結果で分かった。当初はやや危ぶんだディフェンスの戦術と技術の導入も、最初に計

名門スタンフォード大から招聘したコーチのカズマイアーザック。その実直な人柄で、選手からも「カズ」と呼ばれ親しまれた

画したスケジュールの中でこなしていくことで効果を発揮していった。

4年ぶり2度目のリーグ優勝

98年に主将だったRB泊圭太はいう。

「カズ（カズマイアーザック）は、練習の質を合理的かつ効果的に上げていく練習プログラムを作成して、僕らに大きな影響を与えてくれましたね」

泊は東京の北多摩高校（現立川国際中等教育学校）出身で、「スポ選」で入部した。93年度卒のQB来住野将丈（93年度卒）やWR川島貴洋（同）の後輩に当たり、高校2年の時に練習を見に来た平井から「一緒に日本一を目指そう」と声を掛けられ、立命館への進学を決めた。

「当時、高校生からしたら立命の平井監督からそんなことをいわれたら舞い上がるじゃないですか（笑）。それが93年のことだったので、まだ（立命館が）優勝する前だったのですが、自分の中ではもう立命に行くもんだと勝手に思っていました（笑）」

その後、高校3年で観た、自分が進学するであろう立命館の甲子園ボウルでの雄姿を目に焼きつけて、翌95年に喜び勇んで入学した。しかし、入学した年も、その次の年も、そしてその

東京の都立高校から、関西の立命館に入学し1998年には主将を務めた泊。その温厚な性格は、彼ら４回生が選んだ組織作りを象徴している

次の次の年も、攻守ともにリーグを代表するアスリートが揃っていたにもかかわらず、立命館が甲子園の地を踏むことはなかった。

どうしたら関京に勝てるチームが作れるのか？　日本一になるにはどんな幹部が必要なのか？　4回生となった98年春、例年よりも傑出した選手の少ないチームになると感じていた泊たちは、考え抜いた末にある答えを出した。

それは、強い意志と柔軟なバランス感覚を持った主務の石田聡をチームの頂点に置く、かつてないチームピラミッドの形成だった。石田を下から支える立場に主将の泊ら幹部と、トレーナー、スタッフのリーダーが入り、新チームは動き始めた。

秋季シーズンに入ると、チームはリーグ戦7試合中4試合で逆転勝ちを収め、接戦での勝負強さと負けていても折れない不屈のチームワークで、見事4年ぶり2度目の関西制覇を成し遂げてみせた。苦しんで出した答えは間違っていなかった。

甲子園ボウルは、前回同様、法政とのマッチアップとなった。

ゲーム序盤こそ法政のＲＢ井出元、ＱＢ木目田康太らの卓越したスピードに圧倒されたが、中盤以降は、立命館3回生ＱＢ川嵜滋央のパスがテンポよく決まり出し、後半は守備が「0」に抑えて○25－17で逆転勝利し、ついに2度目の学生日本一の座に就いた。

正月のライスボウルでは、社会人王者のリクルートと対戦。社会人に立ち向かうには、どうしても足りないものがあった。それは、学生よりも個人能力の高い社会人のディフェンスに対抗するための強力なパスオフェンスだった。結局、●16－30でライスボウル制覇はお預けとなった。

新オフェンスシステムへの転換

外国人コーチの採用により、4年ぶりにライスボウル出場を果たしたチームにとっての次なる目標は、社会人を相手にしても負けない『フィジカル（Physical）、ファンダメンタル（Fundamentals）、ディシプリン（Discipline／規律）』を身につけることだった。それをそのままチームスローガンに掲げて、99年は始まった。

同時に、オフェンス戦術の柱を従来のランからパスへとシフトし、春の試合から積極的にパスの割合を増やしていった秋も関学戦までは5試合平均得点35・8点と一見順調にみえた。だが、いざ蓋を開けてみると、関学戦での得点は後半の1TDのみに終わり、逆に関学に27点を奪われての黒星。急造システムが通用するほど、関学は甘くはなかった。

それでも、ワンランク上のチームを目指して再出発をした以上、不退転の覚悟を持って前進するより選択肢はなかった。

翌00年、折しも「スポーツ強化センター」からコーチを長期で米国へ派遣するという提案があった。チーム内だけでなく、学内においても高いレベルの指導者の育成が必要だと捉えられ始めていた。そこで、専任職員だった橋詰功をオクラホマ大に派遣することが決まった。

オクラホマ大は、当時全米トップ20に入る強豪校で、本来であればシーズン中のチームへの受け入れなどは適《かな》うはずもなかった。しかし、プリンストン大学で客員教授を務めたことがあり、米国通でもある立命館大学の総長、長田豊臣（99〜06年）から先方への支援要請もあり、フットボールチーム〝スーナーズ〟への受け入れが叶った。

橋詰は、00年夏にスーナーズに合流してから、練習から試合までの一貫した取り組みを間近で学び、日本にいる平井たちに情報を送り続けた。ただ、どうしても細かい部分までを伝達することは難しかった。

立命館は秋に、スーナーズを見本とした新たなオフェンスシステムとフォーメーションを取り入れてシーズンに臨んだが、関京に敗れ去り、7年ぶりに3位に順位を落とす結果となった。

一方、米国では、橋詰が帯同していたオクラホマ大がショットガン隊形からの多彩な攻撃と

橋詰から送られてきた１枚。2000年シーズンBIG12チャンピオンシップ優勝後の祝勝食事会の様子。中央奥が当時オクラホマ大スーナーズを率いたボブ・ストゥープス

鉄壁ディフェンスをもって、破竹の勢いで連勝を重ね、ついには全米チャンピオンにまで登り詰めた。橋詰は最高の年に、全米王者の操ったオフェンスシステムを学ぶことができたのである。

浸透したパッシングオフェンス

翌01年春、橋詰の帰国とともに、念願のパッシングオフェンスのシステム構築に向けたステップが本格的に踏み出された。コーチング体制も、監督の平井のすぐ下にディフェンスコーチの古橋をヘッドコーチとして置き、先を見据えた人事を行ってチーム強化を図った。

オクラホマ型オフェンス導入は、それまでの立命館のオフェンスシステムを180度転換するような改革となった。パスオフェンスにのみ特化した練習内容には、選手だけでなくオフェンスコーチも驚かされた。

オフェンス練習の6割はパスが占めたため、ランプレーに慣れ親しんだ平井や米倉には不安な日々が続いた。しかし、練習を続けていくと、このオフェンスの本質が見えてきた。

要はスプレッド隊形からのパスで相手ディフェンスを広げることで、ランプレーの威力を最大限に引き出すものだったのだ。強力なパスオフェンスであると同時に、ランプレーでもロングゲインを連発させることができるオフェンスシステム。それが全米でも頂点に立った〝エアレイドオフェンス（Air Raid Offense）の真骨頂であった。

結果的には01年シーズンも、関学に●6－10の僅差で敗れ優勝には手が届かなかったが、過去とは明確に違うハイパワーなオフェンスシステムの浸透度合いに、手応えが感じられた。迎えた02年秋季シーズン、のちに〝リッツガン〟と呼ばれることになる爆発的なオフェンスチームが台頭することになる。そう、鉄壁のディフェンス〝アニマルリッツ〟とともに。

天性のパスラッシャー、古橋由一郎入部す

フットボール部70年の歴史の中で、平井が道なき道を切り拓《ひら》き聖地にまで導いた開拓者だとするなら、その道を整備しさらなる栄光へとつなげたのは、紛れもなく古橋だった。

01年、1970年から31年間、実質的なヘッドコーチを務めてきた平井が総監督となり、実務のバトンを受けたのがディフェンスコーチの古橋である。

平井がそうだったように、古橋も大学卒業（89年度）後すぐにコーチとなり、指導者として

すでに13年目を迎えていた。

古橋が平井と違うのは、古橋は学生時代の4回生ですでにピッツバーグ大に行っていたことで、本場のフットボールを吸収するタイミングが早かったことだ。大学職員となった後も、90年春に学生の語学研修の引率者としてオクラホマ大に5週間滞在し、以来、毎年春の約1か月間、継続的に渡米した経験は、その後のコーチングに大きな影響を与えた。

古橋は、伊丹空港のある兵庫県伊丹市で生まれ育った。小さい時から習い事は何をやっても続かなかったが、小学3年生で始めた野球だけは続けていた。高校でも新設校の野球部に入り、3年間辞めずに「半端なく厳しい練習」を続けたことで、運動能力が格段に上がった。

高校卒業後、2浪して苦労していた間に、「スポーツはもういい」と思っていた気持ちがウズウズに変わっていた。85年、一般入試で入学した立命館で何のスポーツをしようかと文学部の掲示板を見ていると、二つ上の山本不二夫に「ええ体してんな。アメフトやらへんか？　女にモテんぞ」と首を摑まれ、いわれるがままにフットボール部に入部した。

浪人中に期せずして体重が20キロ増えていたが、高校3年時に100メートルを11秒台で走っていた運動能力はすぐに戻った。高校時代のスパルタ野球部に比べると、フットボール部の練習は全く苦にならず、1回生からDEとして試合に出場。期待の大型守備ラインとして2回

古橋は、獰猛《どうもう》なパスラッシャーのイメージとは異なり、あんなに真面目で堅実な人はいないと周囲から評される

生からはレギュラーで出場を果たし、3回生の時にはもはやチーム内に古橋を止められるOLはいなくなっていた。まさにフットボールは古橋の性分に合っていた。

部から初めての大学職員に

最終学年になると、86年から続いていた米国ピッツバーグ大への研修に、ヘッドコーチの平井とともに古橋たち4回生5人も同行した。この旅で最新の技術に触れられたことはもちろんだったが、平井と古橋たちの距離も縮まり、本音でコミュニケーションが取れるようになったことも収穫だった。秋は、古橋が1回生の時以来の5勝2敗でリーグ同率2位となった。チームの主将として再び、関京以外には負けないところまで挽回してみせた。

就職の段になり、古橋は社会人でフットボールを続けたい気持ちもあったが、迷っていた。元々は教員になりたいと思っていたからだ。中学の野球部の恩師や教員だった父親の影響もあって、中学ぐらいから芽生えた思いだった。生涯にわたって学生との人間関係を持てる教員という仕事への未練が残っていた。

ある日、平井から大学職員の道を提案された。ちょうど学内で「総合スポーツ政策」での「専任トレーナーおよびコーチの確保」が実施された直後だった。一日、大学職員になって就業時間後に教員採用試験の勉強をしながら、フットボール部の練習をみてくれたらいい。平井からいわれたその一言で、古橋の気持ちは固まった。

翌89年春から、古橋は立命館大学職員として働き始めた。職員としての実務を覚えながら、仕事を終えると毎日3時間を教員採用試験に向けた勉強に割く。そう決めて社会人生活をスタートした。が、現実は思い描いた方向には行かなかった。

古橋の職員としての専任コーチ加入は、平井にとってもチームにとっても大きいものだった。フットボールの土台となるラインの、それも守備のラインコーチがいてくれることは選手にとって心強い上に、守備の基礎が固まる。

平井は毎日、古橋に声をかけて練習グラウンドに促した。古橋にしても、自分が4年間のめり込んだフットボールだ。後輩たちもグラウンドで待っている。ほぼ毎日のように練習に顔を出し、DLコーチとして指導に当たった。

練習後に帰宅してそこから試験勉強をする日々を送ってはいたが、教員の採用枠は空きが少なく門戸は狭い。結局、92年までの4年間採用試験を受け続けた。この間、自分が学生時代勝てなかった関学、京大から選手たちが勝利を挙げ、指導した結果が出てきたという実感もあった。チームは〝優勝候補〟ともいわれ始めて、リーグ3位、2位、3位、2位と2強に肉薄した時期だった。古橋は、いつしかフットボールコーチとしてのやり甲斐に目覚めていった。

大学職員となって5年目の93年。専従コーチの打診があった時には、もう古橋の覚悟は決まっていた。教員という立場ではなくとも、学生たちと築いた人間関係は続いていく。4年間の指導後に卒業した学生たちに会った際に、そう実感した。コーチとして生きていく。こうして古橋は、平井の後継者としてフットボールコーチの道を歩んでいくことになる。

だが、もし古橋が中学の社会科教員として採用され教壇に立っていたなら、立命館大学フットボール部のチーム史も、また違ったものになっていただろう。

ノートルダム大での感動体験

そんな古橋だったが、6年後、平井から自分を次のヘッドコーチにという話が来た時には、すぐには決断できなかった。立命館が2度目の甲子園ボウル優勝を遂げた98年の翌年、99年春のことだった。

自身まだ早いという気持ちと、どこまでできるか、不安もあった。踏ん切りのつかないまま、古橋は渡米した。平成ボウルにノートルダム大の来日が決まり、事前に先方のチームを訪問する春の定例行事に向かったのだ。

到着して案内されたのは、ノートルダム大近くにあった全米の大学フットボールのホールオブフェイム（名誉の殿堂）。米国でフットボールに憧れる者なら、一度は行きたいと思う場所だ。そこで古橋が観たのは、全米王者となった大学のヘッドコーチたちが選手たちを鼓舞するために行う〝ペップトーク〟といわれるスピーチをしている映像だった。

その時のことは、今も忘れられない。

「やはり、これほどアメリカ人に受け入れられているアメリカンフットボールというスポーツはすごいなと」

試合前やハーフタイムに選手たちに熱弁を奮《ふる》うコーチたちの姿を見て、古橋は感動のあまり思わず泣いてしまった。全米屈指の名門チームを率いるヘッドコーチたちの雄弁さに、自身を投影し、身震いもした。感動の内に帰国すると平井の元へ行き、正式にヘッドコーチを受ける意志を伝えた。

翌00年を移行期として、01年春、正式に古橋ヘッドコーチが誕生した。

一方、チームは98年に2度目の学生日本一に輝いたものの、ライスボウルでは再び社会人の前に敗れ去った。オフェンス力、特にパッシングゲームの重要性を改めて痛感させられる結果となった。

翌99年からは、本格的な攻撃力アップをチームの命題に掲げて動き出した。

同年秋は、関学に敗れ連覇とはならなかったが、4回生川嵜滋央、3回生宮崎裕樹の二人のQBが果敢にパスを投じてみせた。パスターゲットもWR松本力志（4回生）、沖健太（3回生）の2枚看板に、3回生の寺町修二、1回生の磯谷幸治らバックス陣も適所でレシーバーとして機能し、チーム全体で攻撃力を上げることに執着した1年だった。

転機となったのは、翌00年、オフェンスコーディネーターを任されたWRコーチの橋詰がオクラホマ大に帯同したことだった。

既述の通り、その年全米王者となったオクラホマ大で、当時最先端のオフェンスシステムを目の当たりにした橋詰は、そこで得た情報を逐一チームに報告。立命館でも何とか導入しようと必死になったが、結果に表れ始めたのは、橋詰が帰国した翌年からだった。

01年には古橋がヘッドコーチとなり実質、監督となった。平井は古橋に現場を任せ、先を見据えた体制となった。コーチ陣は、オフェンスを橋詰、米倉、ディフェンスを池上祐二（93年度卒／DB）、藤田直孝（現監督、94年度卒／LB）らが脇を固めた。

1999年、“リッツガン”の前身ともいえる時期のパッシングオフェンスも、従来のランベースからの脱却であった（写真＝WR松本力志）

この年も結果的には、関学との全勝対決に●6－10の僅差で敗れたが、2回生キッカー鏑木《かぶら》宗平がリーグ最多得点を稼ぎ出し、オフェンスは同じく2回生のQB高田鉄男がリーグ戦7試合すべてに先発出場。ホットターゲットに同期のWR冷水哲、1回生からスピードスター木下典明、長身の長谷川昌泳ら。ショットガン攻撃から繰り出すパッシングゲームで若手選手たちが躍動し、新たな時代の到来を予感させるシーズンとなった。

古橋ヘッドコーチ体制、本格始動

翌02年、平井が完全に現場を離れて総監督となり、チームはヘッドコーチの古橋体制にシフトした。

新チームとなった春、古橋は、選手、スタッフら学生たちの声を吸い上げることから始めた。全員にアンケートを行なって、今のチームに対して感じていることを書かせた。すると、ネガティブな意見も少なからずあった。

この時、チームは最後に優勝した98年から4年が経過し、すでに誰一人としてリーグ優勝を経験している学生はいなかった。あと一歩というところで涙を飲んできた悔しさが、チーム内

立命館オフェンスの攻撃力向上を委ねられた橋詰は、持って生まれた芯の強さで根気強く“オクラホマ・スタイル”をチームに浸透させていった

2001年シーズン、オフェンスの全270得点のうちのリーグ最多得点となる51得点（18.9%、うちFG8回成功）を稼ぎ出した2回生キッカーの鏑木

に充満していた。

古橋は、幹部となった4回生の主将RB磯谷、副将LB北出幸裕（現アシスタントヘッドコーチ）らとともに「どうしたら学生たちが前向きに、自分たちのチームがいいチームだといえるようになるか」を問い続けた。自身が、あのノートルダム大のヘッドコーチたちのように学生たちをモチベートできたらと。考えた末に浮かんだのは、普段の練習のムードから変えていくことだった。

その上でチームにとってプラスに働いたのは、下級生からの〝突き上げ〟だった。

当時、「スポ選」で入部してきていた大産大附高出身のメンバーは、高校日本一を決めるクリスマスボウルで4連覇（99〜02年）中の選手たちで、実力を伴った3回生のQB高田、DL平井基之、2回生のWR木下、長谷川らの言動と行動は、チーム内に好影響をもたらしていた。

また、高田たち3回生の代には、ほかにも高橋健太郎（関倉高）や八木康太（箕面高）ら、フットボール経験者の「スポ選」組の中にリーダーシップのあるメンバーが揃っていた。彼らは、練習中に弱音を吐く選手には、上下関係なく叱咤した。

勝つために、日本一になるために、あってはならない〝妥協〟を許さない空気が、徐々にチームを包んでいった。

日本一を掴み取った〝リッツガン〟

チーム全体のことをヘッドコーチである古橋が考えている間、オフェンスコーディネーターを任された橋詰は、自身がオクラホマ大から持ち帰ったショットガンのスプレッド隊形から繰り出す「エアレイド（空爆）オフェンス」と呼ばれるシステムを、導入3年目にしてさらに浸透させようと、日々腐心していた。

この「エアレイドオフェンス」の特徴は、相手ディフェンスをリード（読む）してパスを投げるのではなく、RBを入れた5人のレシーバーを順番にターゲットとしていることであった。仮に、LBが第1ターゲットのレシーバーについているとすれば、本来そのLBが守るべきゾーンが空く。そこに別のレシーバーが走り込むというようにアサインメントされているため、QBはインターセプトのリスクなく投じることができる。

前年の秋シーズンで、2回生ながら実戦経験を重ねたエースQB高田がこのシステムをより理解し始めると、想像以上の結果が返ってきた。

02年、古橋がイヤーブックの中で誓った「すばらしいチームを作るために勇往邁進（目的に向かってまっしぐらに進んでいくこと）していく決意でおります」と書いた言葉通り、チーム

ショットガン・フォーメーション
(Spread)

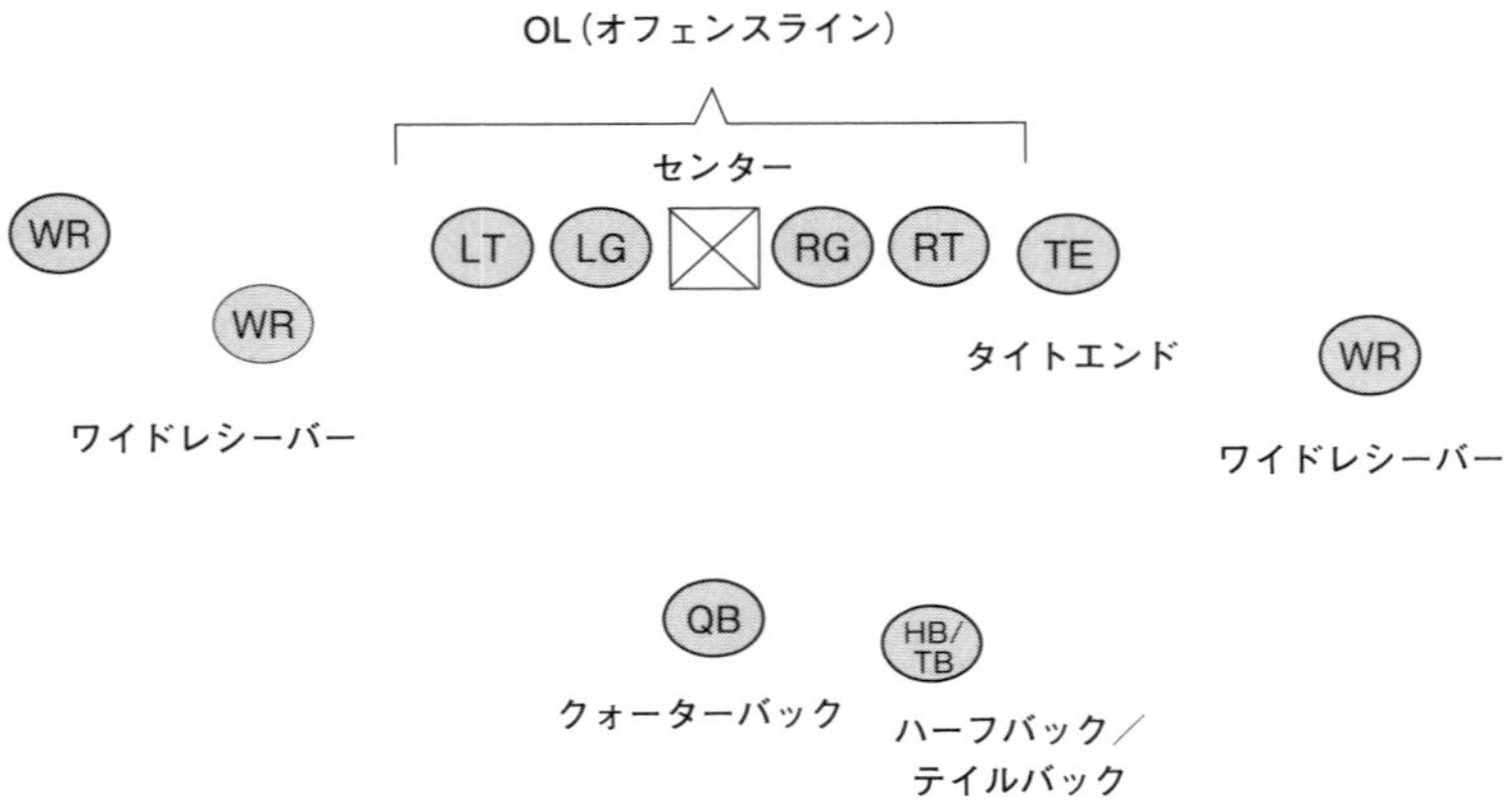

は優勝に向けてまっしぐらに突き進んでいった。

　迎えた秋シーズン開幕戦の対同志社戦で、立命館オフェンスは、総獲得ヤードでいきなり５００ヤード以上を叩き出し、終わってみれば○72－0の圧勝という最高のスタートを切った。

　続く大産大戦も６００ヤード超で○69－7、神戸大戦○59－7、甲南戦○59－0、京大戦○31－3、近大戦○48－6、そして最終戦の関学戦も○48－14で圧勝しての7戦全勝。あっけないほどの横綱相撲で関西学生リーグを制した。

　7試合で総得点は実に３８６点。１試合平均55・１点という驚異的な数字は、立命館がかつてないオフェンスシステムを確立したことの証となった。

　こうして橋詰がオクラホマ大から持ち帰った

スプレッドオフェンスは、〝リッツガン〟と呼ばれ、国内フットボール界を席巻した。

ちなみに、この02年シーズンの対関学戦で挙げた「48得点」「34点得点差」は、今もなお対関学戦史上最多の記録である。

チームはその後、4年ぶりの関西制覇の勢いのまま、甲子園ボウルでは早稲田相手に◯51－14と大勝し、社会人が相手の正月のライスボウルでも、シーガルズに◯36－13で勝ち切って初のライスボウル制覇。一気に日本一の座まで駆け上がった。

オフェンスのハイスコアに隠れてはいたが、この年、ディフェンスが相手オフェンスに与えた得点はライスボウルを入れても1試合平均6・4点と1TD＋TFP以下で、リーグベスト11に選ばれたDL平井（3回生）、LB八木（同）、西洋成（同）、DB小路浩之（4回生）らが、古橋、池上らのコーチングの下、伝統の鉄壁の守備を見せたのだった。

〝リッツガン〟と呼ばれた新ハイパーオフェンスと、〝アニマルリッツ〟の真骨頂であるハイパーディフェンスの融合だ。

かつてない他を圧倒する完勝で成し遂げた初めてのパーフェクトシーズンは、奇しくもこの年が創部50年目の節目に当たり、未踏の頂点への登頂となった。

キャプテンとして初のライスボウル制覇、日本一を達成したRB磯谷

起こるべくして起きたクインススタジアム事件

翌03年は、立命館が初めて日本一のチームとして始動した年となった。

長年の課題だったオフェンス力、特にパスオフェンスに飛躍的な向上がみられ、QB高田鉄男をはじめ、主力メンバーがほぼチームに残っていた。

主将にはSS高橋健太郎が就いた。高橋自身は、リーダーというよりは、周りを巻き込んで盛り上げるタイプ。どちらかというと、副将で主将と皆をつなぐようなキャラクターだったが、高田をはじめパートリーダーたちは、練習中でも明るくポジティブなキャラクターの高橋が発する檄《げき》が、チームには必要だと感じていた。それはヘッドコーチの古橋も同じだった。

「03年の新チームは一人ひとりの個性が強かった。前年は負け続けていたという逆境に対する気持ちがあったからこそ、チームが一丸となってライスボウルで勝つことができたように思います。しかしながら、鍋蓋としてコントールしてくれていた4回生という存在がいなくなったこと、そして日本一になったという慢心が生まれかねない状況ではあった。前年と同じやり方では、一人ひとりの個性が強い分、様々な方向にポップコーンのように飛んでいってしまう。自分たちのカラーに合ったチーム作りを模索しなければと考えるのが必然でした」

個性の集団をまとめ上げ日本一連覇を達成した４番・高橋主将。卒業後は母校・関倉高やパナソニックでコーチも経験した

高橋は笑いながら、当時をそう振り返る。

高橋曰く、この年のチームは究極の負けず嫌いが揃っていた。

QB高田をはじめ、WR冷水、TE栗山大祐、DL平井基之、飾磨《しかま》宗和、森陽一郎、LB八木康太、西洋成、宮口祐介、その一つ下には、WR木下典明、長谷川昌泳、RB齋藤壽師、K岸野公彦、紀平充則等々。

自分自身も含めて、上から押さえつけて、あれやれ、これやれ、で動くメンバーは一人もいなかった。だからこそ、走りモノの練習においても、疲れた顔をしているメンバーに「えっ？バテてんの？」と笑いながらその負けん気に火をつけるなど、しんどいことも笑い飛ばしてやってしまう、そんなチーム作りを心掛けた。

現代風にいえば、「サーバント型リーダー」（他者を理解し、その可能性を引き出す能力に長け、部下に対して指示や命令をするのではなく、主体的な行動を促すリーダーシップ）とでもいおうか。

幹部が決まったのが2月中旬。そこから、幹部間で話し合い、負けず嫌いの集団であるということを理解し、「勝つプロセスを楽しむ」ことを柱に、連覇に向けたチームは走り出した。

だが、ただ単に楽しんで勝てるほど甘い世界ではない。勝つために究極にしんどいことをすべて楽しみながらやっていく。それが、高橋たち幹部が古橋に言い切った約束だった。

始動から約2か月が経った4月のある日、トラブルが起きた。

「クインススタジアム（BKC内）での新入生歓迎イベントでフットボールを観てもらうスクリメージをやっていた。小雨の中、足下も悪く、うまくプレーできない中で皆がイライラしていたと思う。そんな時、相手を倒さないタックルで終了するルールであったにもかかわらず、最初は不可抗力ではあったものの、ディフェンスのプレーヤーがオフェンスのプレーヤーにタックルしてしまった。すると、今度はオフェンスがパックできないくらい低く当たり、そこからエスカレートして、オフェンスとディフェンスの乱闘に発展してしまった。その時に『これが〝楽しむ〟ことを掲げているチームなのか？　オフェンスはオフェンスが良ければいいのか？ディフェンスはディフェンスが良ければいいのか？　オフェンスを強くするのかディフェンス。ディフェンスを強くするのかオフェンスではないのか？　俺たちが目指すチームは何か？』とメンバーに問いかけて、泣きながら練習を中断し、そのまま終了したことがあったんです」（高橋）

このままでは個性の強さがチームを崩壊させてしまう。放置したなら、間違いなくチームは空中分解する。それほど、方向を見失った選手たちのエネルギーが爆発していたと、高橋は思った。

だから高橋は思い切って練習を中断しそのまま終了した。その後に各ポジションで話し合う機会を設けたことで、「僕たちが目指すチームは？　〝楽しむ〟って何だったっけ？　ということを改めて皆で再認識できたのが大きかった」と話す。

この件以来、一つひとつの練習の中でネガティブなことはしない、いわない、そして周囲に感謝する、自立した組織へとチームは急速に変化していった。

ポジティブなアイデアが続々と

そこから、チームは右肩上がりにポジティブに加速していく。

「毎日、グラウンドに行くのが楽しくて仕方がなかった。みんなとまた会える、ここでフットボールができる。僕らにとっては（子どもの頃の）ゲームセンターのような感覚で（笑）。早くクラブハウスに行って筋トレをしたり、ミーティングルームでカレッジフットボールを観たり、終了後も下宿している選手の家に集まってフットボールのビデオを観て（笑）、やらされているというより、それが楽しいという日常になっていたと思います」（高橋）

フットボールが好きだったというより、パンサーズが楽しい空間であり、たとえば、そこにいなければ人気ドラマを見逃して話題についていけないという感覚に近かったかもしれない。日本一になりたいとか、ならなければいけないというよりも、皆が自分たちのチームのことが大好きで、一人ひとりが主役となってチームを作っていると心から思えた、と高橋はいう。

上下関係もあまりなく、個性が立っていた。様々なバックボーンを持つ人間がそれぞれの立場から意見を出し合って、その意見と意見がぶつかりあい、良いアイデアができあがる。いわば現代的なダイバーシティが実践できていたのかもしれない。

「古橋さんは、僕たちの姿勢を見て、ある意味信頼してくれていました。そして、僕たちの意見に耳を傾けてくださった。色々なことにチャレンジさせてもらえる雰囲気があったと思う。自由と責任、そのバランスが成り立っていたように思います」（高橋）

そういう空気があったおかげで、とにかく失敗を恐れず色んなことをやってみた。良いと思うことはどんどん実践した。

試合前のルーティンを作ったらいいのでは、という話から生まれたのが、皆で円陣を組んで行う掛け声だ。「Whose House！（誰のホームグラウンドだ？）Rits House！（立命館のだ！）」という、今ではパンサーズが試合前に必ず行う「ウォークライ」だ。

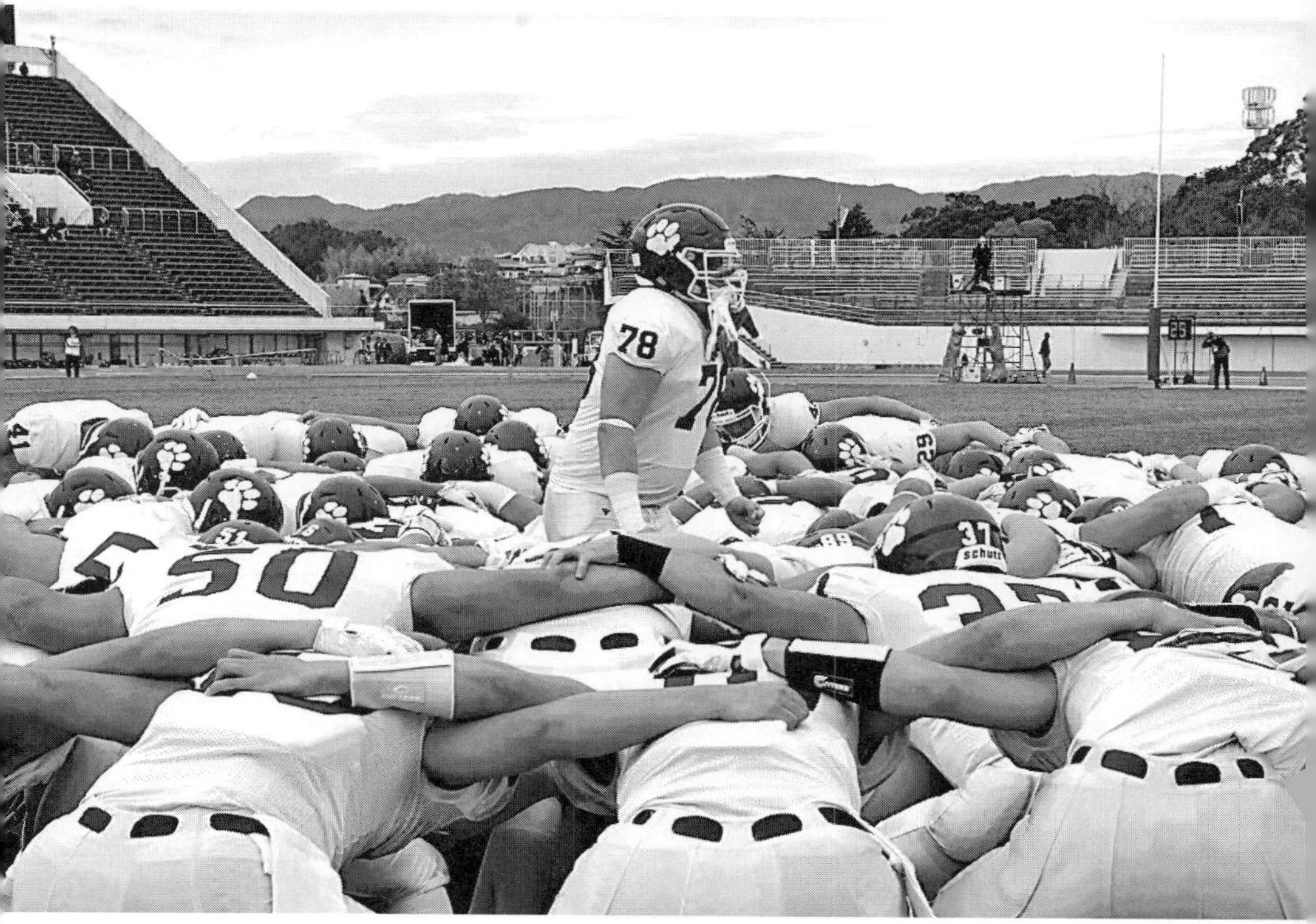

米国でも日本でも、大学それぞれのカラーがあったほうが面白い。特に試合前に自らを鼓舞する"ウォークライ"は、恒例になってこそ意味がある

元々はビデオで米国のカレッジフットボールでやっているのを観て、恰好いいと思ったのがきっかけだった。また関学戦前のモチベーションビデオも作った。アナライジングスタッフのチーフであった千田隆明のアイデアだった。それも「皆のモチベーションが上がるのではないか」と話に出たとたん、即採用となった。

ライスボウル専用のユニフォーム作りも古橋に相談して実現した。これにも理由があった。前年、社会人（シーガルズ）を相手に戦った時、体格的な差から、当たった時に今まで感じたことのないヒットの強さを実感した。ゲーム展開の運もあって勝てたものの、圧倒できていたわけではないと感じていた。2連覇は運ではなく自分たちの力で勝ち切りたい。しかし体格の差を埋められるとすればチームの一体感しかない。学生らしく一丸となって戦う、気持ちのつながりが必要だと思った。「こんな素晴らしいユニフォームを作ってもらって、勝てないとあかんやろ?」新着ユニフォームにはそんな高橋たち幹部のメッセージも込められていた。

プレーの面でもアイデアが出た。これもカレッジフットボールを見て思いついたプレー。その名も「アイアン（鉄）マウス」。QB高田〝鉄男〟が、コーチの橋詰に提案したスペシャルプレーだった。のちに、ライスボウルの最高の場面でコールされることになる。

楽しみながら摑んだライスボウル連覇

秋本番。03年シーズンは、再び〝リッツガン〟がさく裂した。

関学戦までの6試合で、京大戦を含め実に4試合を完封し、得点も平均で52・8点と圧巻の数字で連勝を重ね、この年は、関学がすでに京大、関大に敗れ2敗し、1敗の京大には直接対決で勝っていたため、関西リーグ優勝は確定していた。

それでも、関学戦は最後までもつれ込む試合展開となり、同点で迎えた試合終了残り1秒で、K岸野が劇的なさよならFGで締め、7戦全勝でリーグ2連覇を果たした。

リーグ表彰でも、最優秀選手にQB高田、最優秀攻撃選手にWR冷水、最優秀守備選手にDL平井と3賞を独占し、ベスト11でも攻守22人中、過去最多の10人を輩出。文句なしのリーグ戦初連覇となった。

甲子園ボウルでも〇61-6で法政を跳ね返し、迎えた正月のライスボウル。相手はオンワードスカイラークス。胸に『PANTHERS』の文字が入る、この日のために新調した白いユニフォームをまとった選手たちは、持てる力を遺憾なく発揮した。

第1Qには、高田が仕込んだスペシャルプレー「アイアンマウス」が決まり、0-3から逆

東野稔を“天才QB”と呼ぶならば、高田鉄男は立命館史上“最強QB”といえよう

歴代WRの中でも、レシーバーとして抜きん出た能力を持つ冷水のパフォーマンスには高い評価が集まった

転のTDで勢いに乗った。その後、ディフェンスのインターセプトも4つ飛び出し、最終的には○28－16で勝利。これは、シーズン前にチームで掲げた「しんどくても楽しむこと」を貫き通した、フットボールの神様からのご褒美だったのかもしれない。

こうして立命館は、ライスボウル史上、3校目の大学による連覇を達成した（京大＝87～88年、日大＝89～91年）。

「どんなに厳しい練習をしても、それでもこのチームが好きだし、フットボールが好きだというチームになってきていた。別に休みなんか要らん、このチームが好きやし、といい切る選手たちばかりだった」（高橋）

プレッシャーを〝明るさ〟ではねのけた、堂々の日本一連覇だった。

スローガン「ULTIMATE CRUSH」

前年に続き03年度に日本一になれた理由の一つに〝固定観念を壊せた〟ことがあると、古橋は思っている。

02年度は日本一にはなったものの、毎年メンバーが変わる大学で優勝し続けることの難しさを初めて実感した。平井の時代にもチームスローガンは作っていたが、ヘッドコーチになるまでは特にこだわりはなかった。

ところが、いざ自分がチームを任された時、150人を超えるチームのメンバー全員が一つになるための言葉＝スローガンの必要性を強く感じた。

古橋体制となった02年度、ライスボウル初優勝で勝利の美酒に酔った1週間後、たまたまテレビで、4回生と一緒にラグビーの大学選手権決勝を観ていた。

当時、1度の準優勝を挟んで4連覇中だった関東学院大学（以下、関東学院）に対するは名門の早稲田。早稲田は前年に監督となった清宮克幸が自身の学生時代に主将として日本一になって以来、13年間、日本一から遠ざかっていた。前年も、清宮率いる早稲田は、対抗戦を全勝で勝ち上がりながら、同じく関東学院との大学選手権決勝は僅差で敗れ、涙を飲んでいた。

起死回生を図ったこの年、「ULTIMATE CRUSH」というスローガンを掲げ、見事、王者の関東学院を倒して、早稲田は日本一に返り咲いた。

この試合を観ていた古橋と幹部たちは、早稲田の置かれた状況と、今までの自分たちが重なった。日本一にはなったものの、〝このままで大丈夫〟という安定を求めたムードを打破するには、まさに「ULTIMATE CRUSH」（究極の破壊）をしないことには、先はない。そう考え、古橋は、すぐに早稲田ラグビー部の清宮監督に許可をもらい、「ULTIMATE CRUSH」をパンサーズのスローガンに据えた。

03年度の新チームは、こうしてそれまでのルーティンを壊すことから始めて新しいチームを作り上げ、日本一連覇へとつなげたのだった。

言葉の力、チーム全員が同じ気持ちになることの大切さを、古橋はこの時、実感した。

初の甲子園ボウル3連覇

1度ならず2度までも、正月のライスボウルで社会人相手にオーバーパワーしたことで、いよいよ立命館は、国内フットボール界における揺るぎない存在となっていた。

04年度は、それをさらに超えていくために、「Over The Top」をスローガンに掲げた。

QB高田ら4回生の主要メンバーは抜けたが、スキルポジションであるレシーバーでは、木下と長谷川のスーパーコンビがしのぎを削り、オフェンスを牽引した。

QBは3回生の池野伸が先発して〝リッツガン〟を操り、RB古川宏(4回生)、佃宗一郎(3回生)らが脇を固めた。

「究極の破壊」。積み上げてきたものすべてを壊す勇気が、史上初のライスボウル連覇を呼び込んだ

迎えた秋シーズン、またもや全勝での対関学戦。関学は過去2年間の雪辱を果たすべく、対立命館用のオフェンスを展開してきた。立命館もWR木下をQBに入れるなど対抗し、試合は最後の最後までもつれ込む展開となり、残り55秒で蹴ったK岸野の50ヤードFGが届かずに●28－30で惜敗した。

これで関学の全勝優勝かと思われた。が、次節でその関学が京大にまさかの黒星を喫し、京大に勝った立命館に再びチャンスが訪れた。

リーグ戦ではFGに泣いたが、甲子園ボウル出場権を賭けたプレーオフでは、同点でタイムアップとなり延長戦へ。延長戦を0－0、再延長戦を7－7として、再々延長戦で先にK岸野がFGを決め、後攻の関学のFGが逸れたところで3年連続の甲子園ボウル出場が決まった。歴史に刻まれた激戦での優勝だった。

甲子園ボウルでは、年間最優秀賞であるチャックミルズ杯を獲得したWR木下が7捕球121ヤード獲得2TDの大活躍で、法政を○38－17で下して、三度《みたび》、学生王者として正月を迎えた。ライスボウル大学3連覇は、89年から91年の日大しか成し得ていない。

もっとも、この偉業達成の前に立ちはだかった松下電工の壁は高く、立命館は●7－26で敗れ長いシーズンを終えた。

ライスボウルでは敗れたが、この試合前に選手たちに向けてハドルの中で古橋が発した言葉には、かつて古橋が感涙した米国カレッジフットボール史に残る名将たちが投影されていたかのような説得力があった。

「男には人生を賭けて戦わなアカン時がある。相手のほうが強い、相手のほうが絶対に有利やと言われていても、立ち向かっていかなアカン時がある。(中略)お前らやったらできる!お前らやったらできるんや!」

勝ち続けることの難しさ

翌05年度も、〝立命館〟の学生王者としてのプライドは誇示された。

古橋は、選手たちが立ち止まらないよう、常に進化を求めた。止まったら、先はない。直感的にそれが分かっていただけに、後ろを振り返ることなく、前だけを見て進もうとした。そのために、フィールドだけでなく、フィールド以外でも新たな取り組みを試みた。

春と夏には、〝リッツガン〟を吸収した米国オクラホマ大に選手たちを派遣し、コーチだけでなく、選手たちにも米国カレッジトップチームの空気を吸わせた。

また、BKCのある地元、滋賀県内の小学校を訪問して、フラッグフットボールの指導にも時間を割いた。いずれも選手たちが、チーム内の監督やコーチではなく、普段と違う環境で外国人や子どもたちとコミュニケーションを取ることで、自ら誇りや自覚を持ってほしいとの願いからだった。チームには、すでに1回生を除けば、正月のライスボウルまでを経験したメンバーしかいなかった。

秋季リーグに突入すると、関学相手に○17－15と苦戦はしたものの、終わってみれば7戦全勝で、苦しみながらも4年連続で甲子園ボウル出場を決めた。主将のLB塚田昌克を中心にチームは勢いづいていた。

しかし一方で、古橋はチーム内に生じた僅かなズレを感じていた。過去3年間とは異なる違和感だった。

ある時、トレーニングルームに向かうと、すれ違いざまに選手が帰ろうとしていた。「終わったのか?」と古橋が聞くと、「はい、もうメニューは終わりました」とそのまま帰って行った。何かが違う。そう思い始めると、少しずつだがほころびが見え始めた。

もうすぐ臨む甲子園ボウルでは、これまで94、98、02年から04年と5回出場してすべて勝っていた。負けるはずがない、誰もがそう思っていた。

いざ試合が始まってみると、関東代表の法政のボールコントロールに、前半7－10で折り返し、第3Qに負傷したエース池野に代わって先発した3回生のQB渋井辰彦が逆転TDランを決めたが、最終第4Qに再逆転のTDを許しタイムアップ（●14－17）。

「負けるとしたら大差だと思っていた」（古橋）

試合後のインタビューで発したこの言葉には、この敗戦が〝学生王者の驕《おご》り〟だけではない、もっと根の深いものであるという自覚が込められていた。

古橋監督体制、ラストシーズン

古橋がチームを任された02年度からチームを進化させていく中で、選手たちの根っこにあった〝このままじゃいけない〟という危機感は、リーグ優勝に僅かに手が届かなかった時代だからこそ生じたものだった。

勝てないからこそ、勝つための努力を惜しまず、与えられた練習メニュー以外にも自分たちで個別練習をし、〝勝つために必要なもの〟を模索し続けてきた。

ライスボウルを連覇した時には、負けず嫌いなメンバーが揃っていたことも大きかった。苦しい練習でも弱音を吐かず、笑いながら互いを刺激し合えるムードがあった。その相乗効果が、チーム史上初の快挙を生み出したことには間違いなかった。いつしか、結果についてネガティブなことをいう選手は激減し、チームは明るくなり、古橋が理想とするチームになってきてはいた。

ただ、勝ち続けることで知らぬ間に、「与えられた練習メニューをこなしていれば（OBのQB高田やWR木下のような選手になれる」という、安易な考えがチーム内に拡がっていた。05年、甲子園ボウルで敗れると、古橋は練習メニューを減らし、練習中の激しい当たりを少なくして、休日も週2日、縛り過ぎないといった自主性を重んじてきたスタイルから180度舵を切り、厳しい練習内容へと転換した。

自主的にできないなら練習時間を増やすしかない。ほころびを懸命に繕《つくろ》おうとした。それでも06、07年は、僅差で関学に敗れ、連覇は途絶えた。

毎年、人数の4分の1が入れ替わる学生スポーツだからこそ、その年ごとの学生たちに準じたチームビルディングが求められる。

チームの雰囲気は、一時理想に近づいていた。とはいえ、雰囲気だけで勝てはしない。古橋は、この時ほど勝ち続けることの難しさを感じたことはなかった。

翌08年は、自身の中で、進退を懸けたシーズンだと位置づけていた。フットボールコーチとしてチームに携わってちょうど20年目。コーチ人生の一つの節目として、古橋は退路を断ってシーズンに臨んだ。

夢にも思わなかった3度目の頂点

平井がそうしてくれたように、古橋も後継者体制を整えるべく、オフェンスに米倉輝ＯＬコーチ、ディフェンスに池上祐二ＤＢコーチを、それぞれコーディネーターとして置いた。米倉と池上は93年度卒の同期で、気心も知れた仲。まだ30代だった二人の意見をこれまで以上に取り入れて、チームは年明けから動き出した。そして、のちに古橋が「学生ってこんなに成長するんやなあ」としみじみと語ることになる、忘れられないシーズンが始まった。

08年、年明けに行われた納会の壇上で、古橋はあえて思っていることを率直に伝えた。「今年は過去最弱のチーム」。この言葉に、動揺した選手、スタッフは少なくなかった。

この年は、北大津高等学校出身のＦＢ浅尾将大が主将となった。「今年のチームは絶対的なエースがいない」（浅尾）というのは、古橋がいわずとも自分たちが一番分かっていた。

だからこそ浅尾は、春にアキレス腱を断裂しても、毎日、松葉杖をついてグラウンドに行っては、サイドラインから声を出し続けた。

シーズン直前にようやく復帰できたその日。浅尾は再び、アキレス腱を切ってしまう。不運に次ぐ不運。チームの命運を表すかのような出来事に、周囲は沈黙した。

それでも浅尾は、再び、松葉杖をついてグラウンドに現れ、サイドラインに立って声を張り上げ続けた。

これを見たチームメイトたちは、浅尾の姿に胸を打たれ、全員が「44」と書かれた黒のシールをヘルメットにつけ、シーズン本番に臨んだ。

古橋に〝史上最弱〟といわしめたチームは、予想に反して連勝に連勝を重ね、ついには最終戦の関学戦も○17－7で勝利し、何と無傷の7連勝。うち3試合（甲南、同志社、近大）を零封し、1試合平均失点は4・3点。この数字は、過去のどの年のリーグ優勝時よりも少ない失点で、立命館にとって堅守が際立つ、他を圧倒したシーズンとなった。その守りは、甲子園ボウルでも法政を相手に失点を8点に抑え（○19－8）、05年の雪辱をも果たしたのだった。

向えた対パナソニックとのライスボウル。鉄壁のディフェンス陣は、4回生DL久司大貴樹やCB滝澤輝久らの活躍で社会人王者を2TD以下の13点に抑え切り、オフェンスはQB松田

シーズン前のイヤーブックで「ライスボウルを制覇する力は一人ひとり必ず持っている」と語っていたキャプテンの浅尾。信じる力が奇跡を起こした

大司（3回生）のパスが冴え、TE森正也（4回生）へのTDパス、RB松森俊介（4回生）のTDラン、K砂原伸一郎（4回生）のFGなどで17得点を挙げて、最後まで相手にプレッシャーをかけ続けて○17-3で競り勝った。

5年ぶり、3度目の全国制覇は、古橋が「フットボール人生で一番嬉しかった」ゲームとなった。

立命館
学
会アメリカン
ル部

→Fresh, First Down!
「責任」
2009－2023

古橋体制から米倉体制へ

古橋から米倉にヘッドコーチ就任の打診があったのは、２００８年度のライスボウルの後だった。

前年の07年から、古橋は指導者として区切りをつけたいとほのめかしてはいたが、米倉は本気にはしていなかった。

１９９６年に大学職員として入職してから10年以上、米倉はオフェンスコーチ一筋でやってきた。06年に、３か月、３か月の都合６か月間、オクラホマ大で最新のスプレッドオフェンスを勉強する機会に恵まれ、フットボールのさらなる奥深さを痛感していた。

帰国した翌07年からは、橋詰に代わるオフェンスコーディネーターとして、オフェンス全体と試合でのプレーコールを担当した。08年も同じポジションを務め、社会人を破ってライスボウル優勝を経験する。

実質、98年の平井監督時代から、ランプレーに関してはある程度任せてもらっていたが、パスも含めたコーディネーターとしてのこの2年間は、貴重な経験となった。そんなコーディネーターとしてのやりがいを感じ始めていた矢先での、ヘッドコーチへの打診だった。

総監督の仁ノ岡は、古橋から事前に相談を受けていた。

仁ノ岡は、平井が総監督となった02年に一度その座を退いたが、05年に平井が学連理事長だった吉田眞一に替わって理事長に就任すると、再びチームの総監督に就くことになった。古橋から後任に米倉をと相談を受けた仁ノ岡は、「分かった」とサポートを約束した。

古橋の話を受け、米倉は真っ先に同期の池上に相談し協力を仰いだ。性格は違えど、二人は互いに分かり合った仲。役割はすぐに決まった。

米倉がヘッドコーチとして変わらずオフェンスを、池上はアシスタントヘッドコーチを兼務しながらディフェンスをみていくことで大筋が決まった。

3度目のライスボウル優勝から、約1か月半後の09年2月20日。立命館は大阪で記者会見を開き、古橋からバトンを受けた米倉新体制を発表した。席上で米倉は、「パワーとスピードで相手をなぎ倒すのがパンサーズのスタイル。ダイナミズム溢れるチームを作りたい」と抱負を語った。

ここに38歳の米倉と池上、若い二人の新体制がスタートした。

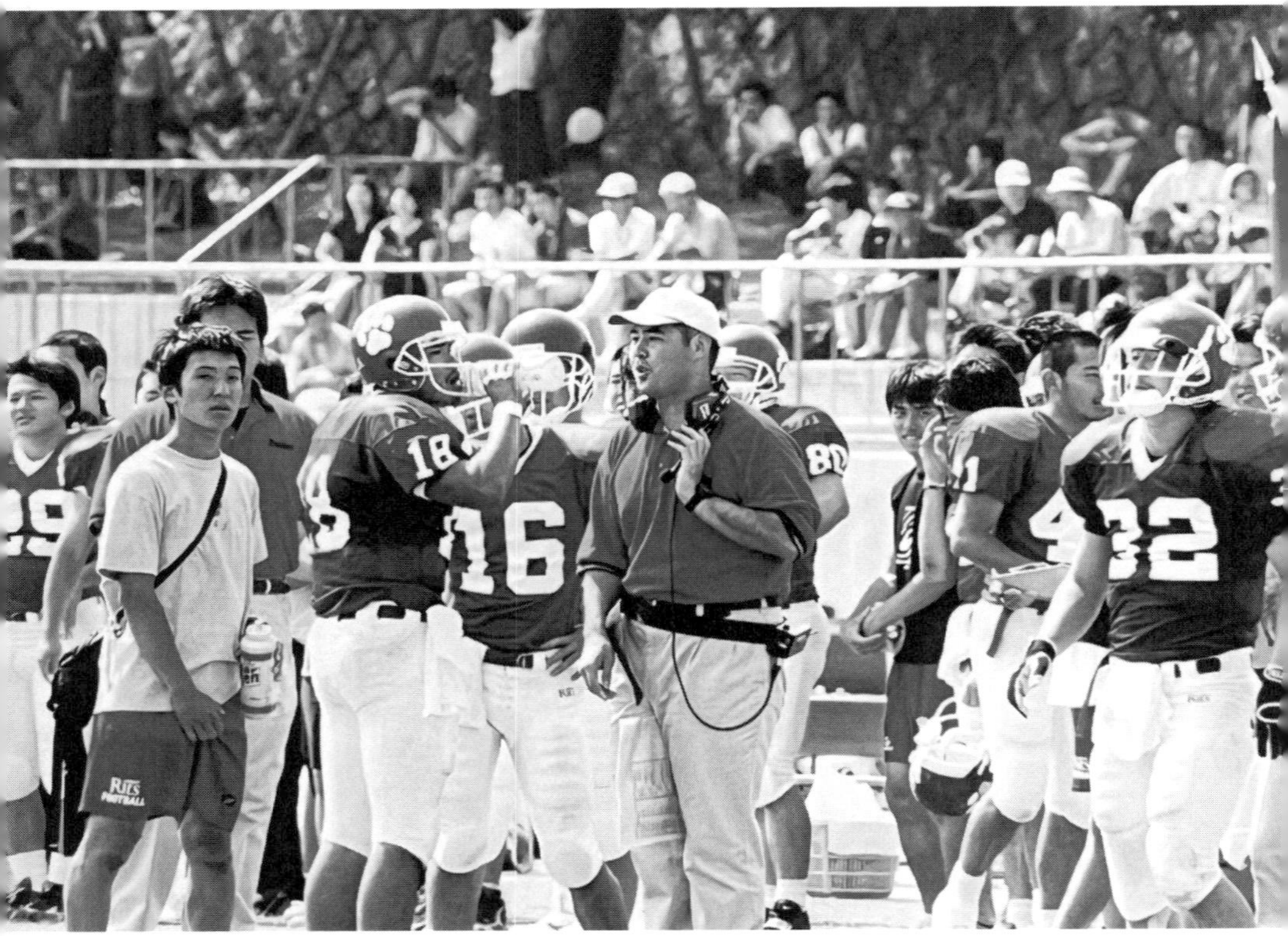

ソフトな人当たりとリベラルな感覚が持ち味の米倉輝も、ことフットボールの話になると話が止まらない

関大の台頭と〝チームゴール〟

役割は変わったが、米倉は、コーチングスタッフの顔ぶれを古橋体制から大きく変えることはしなかった。代わりにコーチには、自らが現役時代にプレーしたことのないポジションであってもコーチングを頼むことにした。

古橋の後、DLのポジションコーチとなったのは馬渡洋輔（95年度卒／RB）だった。前年QBコーチだった北出幸裕（02年度卒／LB）はWRコーチも兼務することになった。二人とも、生来の真面目な性格からか、任されると「熱が出るくらい」（北出）勉強した。

前年にライスボウルで勝った際のQB松田が4回生として残っていたことで、パスオフェンスはある程度の計算ができたが、課題は主力メンバーがほぼ抜けたディフェンスだった。ライバル関学を相手にどこまで抑えられるか、リーグ連覇の要諦はそこにあった。

ところがこの年、チームの前に立ちはだかったのは関学だけではなかった。

結果から先にいえば、関大が関学をも倒してリーグ戦全勝。61年ぶりの甲子園ボウル出場を決めたのだった。関大のヘッドコーチは、米倉が社会人だった時に鹿島建設で同期だった京大の板井征人（94年度卒／TE）で、就任3年目の秋を迎えていた。

米倉にとっては、奇しくも大学時代のライバルであり、社会人でチームメイトだった板井率いる関大に第4戦で足下を掬《すく》われ（●7－14）、最終戦では関学に惨敗（●7－31）。この対関学戦で失った31失点と24得点差での敗戦は、初優勝した94年以降で最悪の数字だった。

前年の日本一から、リーグ3位に転落。リーグ2位以下に落ちるのは、00年以来のことだった。だからこそ、翌シーズンのスタートは、敗れた関学戦の翌日、09年11月24日から始めた。

米倉は、誰よりも危機感を持っていた。チーム内で〝何が足りないのか〟をとことん話し合った。そこで出た答えが、〝チームゴール〟の設定だった。詳しくみてみよう。

新プログラム「パンサーディベロプメント」

今のパンサーズにとっての〝チームゴール〟とは何か。それは次の3つだと、チーム全体で確認した。

「日本一になること」

「尊敬され支援されるチームになること」

「立命館大学生として成長すること」

では、〝チームゴール〟を達成するためにはどうしたらいいのか。チームを構成するメンバー一人ひとりが強い自覚と共通認識を持って行動する必要がある。そう考え、米倉は自らが中心となって、「パンサーディベロプメント」と称し、セルフディベロプメントプログラムを実施した。

部員数が170人を超える大きな組織となったチームでは、メンバーが個人知として身につけた共通認識を、恒久的な組織知としてチームの財産にしていかなければならない。「パンサーディベロプメント」を通じてチーム全員で共通認識を積み重ねることが、「チームゴールを達成する」ために最も重要であると考えた。

プログラムは、2月から6月までの5か月間にわたって行われた。チーム全員で、テーマごとに学内外の有識者の基調講演を聴講し、個人リポートの提出、グループミーティング実施、グループリポートの提出、最終チームミーティングのフローを各1週間かけて行う。そのサイクルを全8回、実施した。詳細は以下のようなものだった。

●プログラム①「大学で学ぶとは」(学校法人立命館総長　川口清史)
●プログラム②「パンサーズ君主論」(フットボール部部長　上野隆三)
●プログラム③「パンサーズ50年の歩みと未来への展望」(平井英嗣)
●プログラム④「アマチュアスポーツを通じた人格形成」(日本高校野球連盟　顧問　永野元玄)
●プログラム⑤「青年期の出会いと自己形成」(文学部教授　春日井敏之)
●プログラム⑥「今日を未来をいかに生きるか」(経営学部教授　種子田穣)
●プログラム⑦「現代社会に潜む危機」(京都府警警察本部警備部機動隊　隊長　前田保則)
●プログラム⑧「組織における行動」(キュービークラブ代表取締役社長　久保田薫)

主将の佐藤修平は、プログラムを通して感じたことをイヤーブックの中で次のように語っている。

「今年度より『パンサーディベロプメント』というプログラムを通して、私たちは真の日本一を考えてきました。そして私たちは一人ひとりが考えるだけではなく、議論をして共通意識を持ち、行動に移すというところまでに重点を置いて活動してきました。

今まで私たちのチーム内で〝日本一〟という言葉は、様々な場面で発せられていましたが、その発せられた〝日本一〟という意味や重みを個々が同じレベルで認識できていなかったかもしれません。しかし、私たちは今回のプログラムを通してポジションや学年の枠を超えて取り組み、お互いの考えや意識を知るようになり、チームの中での共通意識は以前よりはるかに強固なものになったと確信しています。また、このプログラムでは自分の考えを他者に伝えるという力が様々な場面で求められました。当初は受け身だった1回生たちが、中盤以降のグループミーティングでは上回生に対して堂々と自分の考えを伝える姿が何度も見られるようになり、この能力の形成がチーム内でのコミュニケーションをより豊かなものにしていくと感じられました。

このプログラムを通してチームの中で改めて〝主体性〟の重要性を認識することになったと思います。なぜなら、私たちの日本一とは、単にチームの勝利によるものを指すのではなく、〝チームゴール〟にあるように尊敬され支援されるチームになり、大学生として成長することが前提に日本一があるからです。これらは言葉で掲げることは容易ですが、その言葉の中身に触れて行動するには自らが『考えること』が必要不可欠です。１７０名を超える部員数の中で、いつのまにか私たちは『考えること』を誰かに任せてしまい受け身の姿勢になっていたのかもしれません。しかし、今回その様な点についても議論を重ねて改善してきました。私たちは〝チームゴール〟を目指し、今もまさにその最中にあることを自覚し、この先も行動していきたいと思っています。日々の小さな積み重ねや、これからも継続して〝チームゴール〟を目指すことがチーム、個人の成長に繋がることに主将である私も強く確信し、日々努力していきたいと思っています」

2年ぶり8度目の甲子園ボウル出場

これまでにないプログラムの実施で選手間の意識の共有が深まった10年春、コーチたちにも新たな刺激があった。米国人コーチの加入だ。

米倉は、06年にオクラホマ大に研修に行った際に懇意になったQBコーチのジョシュ・ハイペル（現テネシー大学ヘッドコーチ）から、ベテランのアール・モーズリーを紹介された。

モーズリーは、米国大学ではオクラホマ大以外にもノートルダム大でコーチ経験があり、プロであるNFLチームのシカゴ・ベアーズでもRBコーチとしての実績があった。

かつて沖縄の米軍基地にいたことから日本びいきになったモーズリーは、米倉が大学と交渉した末に、プロコーチとしてパンサーズに加わった。役職はアシスタントヘッドコーチ兼オフェンスコーディネーター兼WRコーチ。チームとしては、平井が招聘した98年のカズマイヤーザック以来の米国人コーチだった。

「とにかく基本に忠実で、RBにも、動く前のセットの段階で一歩目を大事にするには足幅が広かったらダメだという。アールは我々が考えていることをベースに、それに合わせて『どうしたらいいか』を考えてくれました」(米倉)

迎えた10年秋季シーズン、立命館宇治高出身で春に急成長した3回生QB谷口翔真を柱に、前年にリーグリーディングラッシャーとなったRB高野橋慶大(4回生)の活躍もあって、関学には1TD差で競り勝った。前年王者の関大戦では、ロースコアゲームに持ち込まれ●13-15で惜敗したが、最終戦で関学が関大に勝利したことで、14年ぶりに3校同率優勝となった。

前年から導入された全日本大学選手権は8地区11校で争われ、西日本代表決定戦の準決勝では、かたや関大が関学をタイブレークの末に下し、もう一方では立命館が南山大学(東海地区代表)に大勝して、再び関大との代表決定戦にもつれ込んだ。

代表決定戦では、連覇を目指す関大を相手に、モーズリーの加入効果もあって、後半で突き放した立命館が○37-20で勝利し、2年ぶり8度目の甲子園ボウル出場を決めた。

甲子園ボウルでは、関東代表の早稲田に○48－21で勝利し、前年の雪辱を果たして、10年、米倉体制初の学生日本一を達成した。当の米倉は、喜びよりも安堵のほうが大きかった。ライスボウルでは、地力で勝るオービックシーガルズに零封されたが（●0－24）、悲観することはなかった。

だがしかし、ここからの4年間、米倉はコーチ人生で最も苦しい時期を過ごすことになる。

苦しみ抜いた4年間の先に

米倉は回想する。

「基本はすべてボトムアップで何とかなると思っていたんです。OLをきちんと作ってオフェンスを作り、ディフェンスを池上君に任せて、という積み上げで勝てると思っていました」

09年は3位、10年は優勝した。だからこそ米倉の中では、11、12年くらいまでは、優勝できずとも変えることより積み上げることに集中した。迎えた13年。

「13年は戦力が揃っていて自信もあったのですが、京大に負けました（●2－20）」

しかもセーフティの2点しか取れなかった。11、12年も唯一の敗戦となった関学を相手にして、オフェンス7点（11年）、0点（12年）と得点力不足に悩まされた。

２０００年代に一世を風靡した〝リッツガン〟も、特に対関学戦では、この10年の間にあらゆる場面での対策が講じられていた。ましてや、大学の環境下では、安定した得点力を稼ぐには、次の一手が必要な時期に差し掛かっていた。

14年も全勝対決の関学戦は●7－21で涙を飲み、チーム内にはついに優勝を知る選手がいなくなった。積み上げてきたものから、大きく舵を切って方向転換するにはどうしたらいいのか。13年から15年にかけて、米倉は試行錯誤を繰り返した。

15年に主将となったＤＬ田辺大介は、同期全員からの推薦を受けて主将となった。春には学生チーム相手に敗戦を重ねたが、田辺は優れたリーダーシップを発揮し、そこから猛練習の夏を乗り越え、米倉が予想した以上にチームは成長曲線を描いた。

さらに、オフェンスでは、前年、大産大附高から入学したＴＢ西村七斗、立命館宇治高から入ったホットラインのＱＢ西山雄斗とＷＲ近江克仁の2年生トリオが先発を獲得して、停滞していた攻撃力アップが期待できそうな機運が充満していた。

全勝対決の対関学戦。点の取り合いとなったこの年は、最後の最後に○30－27で逃げ切り、実に5年ぶりのリーグ優勝を果たした。年間最優秀賞であるチャックミルズ杯を手にしたＴＢ

GOLDEN PANTHERS NEWS LETTER 2017 #5

パンサーズコーチ陣が選ぶ
今季注目プレイヤー

WR #14
近江克仁
おうみ よしひと
立命宇治④/181cm 81kg

有言実行の主将。WRとしても1回生時からスターターを務める。今季はフィジカルアップに成功、パワーやスピードともに大幅アップ、早稲田戦、NEW ERA BOWLで披露した様に決定力が増した。QB西山とのホットラインも10年目を迎え、今年その集大成を見せる。

RB #32
西村七斗
にしむら ななと
大産大附③/176cm 85kg

スピード、パワー、カットバックすべてにおいてパンサーズ歴代RBの中でトップクラスの存在。今季は若手の成長を促すため爆発に試合出場は少なかったが、秋シーズンに向け準備万端。自身2度目のチャックミルズ杯獲得に向け爆走必至である。

QB #11
西山雄斗
にしやま ゆうと
立命宇治④/178cm 82kg

2回生時に学生日本一となったベテランQB。運動能力としては決して、ずば抜けたものを持ち合わせてはいないが、豊富な試合経験に裏付けられた適切なクオーターバッキングを見せる。近江、西村、成田などのタレントを活かすも殺すも西山次第である。

ベンチプレス、スクワット、パワークリーンの3種目合計で歴代NO.1の重りを

下級生時からフィールドで躍動したRB西村七斗、WR近江克仁、QB西山雄斗らが停滞したチームの空気を払拭してみせた

西村は、早稲田との甲子園ボウルでも、何と30回のキャリーで219ヤードを走り（2TD）、チームを勝利に導いた。

主将の田辺のキャプテンシーと若き力の融合が摑んだ、8度目の大学日本一だった。

ライスボウルでもパナソニックインパルスをあと一歩のところまで追い詰め（●19－22）、気を吐いた。米倉は苦しみ抜いた先で、ようやく手応えを摑んだ。

翌16年からは、甲子園ボウルへの出場条件が変更され、関西リーグの1位、2位が西日本代表校トーナメントへ出場する方式となり、リーグ優勝をしても、甲子園ボウルに出場するには、再びトーナメントで優勝せねばならなくなった。

結果16年は、関学と2回対戦して2敗（●6－22、●17－26）。翌17年はリーグ戦で全勝するが、ウエスタンジャパンボウル（全日本大学選手権西日本代表決定戦／以下、WJB）で●3－34と惨敗。関学相手に、新たなシステムの壁が立ちはだかった。

2018年の「届かなかった1点」

18年、9年間チームを率いた米倉から古橋への再びの監督交代は、周囲から結果を求められた故の人事だった。

「監督2回目（18年）の時は、何とかせなアカンなという気持ちだった」（古橋）

18年、前年のWJBでの対関学戦（●3－34）での大敗を受け、主将のOL安東純一は、チームスローガンに「PASSION」を掲げた。

前年、リーグ戦で優勝しながら、30点差以上引き離されて宿敵・関学に敗れたシーズンエンドが、想像以上に尾を引いていた。

安東は大学1回生の時、立命館宇治中、宇治高でその背中を見続けてきた主将の近江と、QB西山たちが連れて行ってくれた15年の甲子園ボウルのことを、鮮明に覚えていた。

それだけに、彼らが4回生となった2年後の17年、エースRB西村七斗（大産大附高）を擁しながらも勝てなかった、その理由を探し続けていた。

「昨年の敗北からチーム全員が一つになって日本一を摑みにいく。私はそのために『自分が一番やる』と心に決め主将になりました。（中略）私はパンサーズが大好きです。選手、スタッフ、コーチ、そして応援してくださるファンの皆さま、全員で熱く夢中になれるチームだからです。この大きな愛の詰まったチームを必ず日本一にします。そのために、スローガンである『PASSION』を貫き通します」（18年イヤーブックより／安東）

秋季リーグ戦での対関学戦は、●7－31で敗れたが、ＷＪＢでリーグ戦2位として再戦を挑むという、17年とは逆の構図となった。

試合はディフェンスの踏ん張りでＤＢ松山陸（18年度卒）のインターセプトリターンＴＤも飛び出して前半を13－3で折り返し、後半もＦＧで3点追加して16－3と優位に進めた。しかし、ここから関学の巻き返しにあい、ジリジリと差を詰められて19－17の2点差となり、残り時間2秒でＦＧ圏内まで攻め込まれた。

関学のＫ安藤亘祐の蹴ったボールが、2本のポールの間を抜け、決まった。ゲームセット。スコアは●19－20。僅か1点、されど1点。甲子園ボウルへのたった1枚の切符は、宿敵・関学の手に渡った。

この試合の「届かなかった1点」と題された二人の選手の手記が、翌年のイヤーブックの中に掲載されている。

「昨年12月2日、掴みかけた甲子園ボウルへの道が残り2秒で閉ざされました。私自身最後のプレーで相手にプレッシャーをかけた一人でありキックが決まった瞬間に味わったことのないほどの悔しさを経験しました。昨年1年間、必死で苦労を乗り越え続けたつもりでしたが、あ

2018年、主将の安東は大好きなパンサーズで、その情熱を絶やすことなく勝利を求めた

と1点、あと1歩のところで勝利には届きませんでした」（DB荒尾亮太／19年度卒）

「昨年のWJBは残り2秒で逆転負けという屈辱を味わいました。最後のFGを決められた時は、今までの努力が否定され、また4回生の先輩を日本一に導くことができなかった悔しさが溢れ、立っていることができませんでした」（DL加藤聖貴／19年度卒）

ディフェンスコーチ陣の刷新

18年、第2次古橋体制になり、古橋自身9年ぶりとなった現場復帰で、最初はコーチの雰囲気がだいぶ変わったと感じた。選手への感覚にも違和感があった。

ライスボウル優勝を果たし、一度退いた08年の際のコーチングスタッフから大幅な入れ替わりはなかったが、新陳代謝は必要だと感じていた。

1年目は「遠慮しすぎた」（古橋）と、2年目となった19年は、すでにあった陣容、環境の中から勝てるチームに成長させることに努めた。

だが19年秋、またもWJBで関学に阻まれ（●10－21）、再びチーム内に甲子園ボウルを知る選手はいなくなった。ここで古橋はディフェンスの切り替えを図った。

社会人のオービックシーガルズのコーチとなった池上に代わり、立命館守山高でコーチをしていた大島康司（95年度卒）を呼び戻してディフェンスコーディネーターに据え、外部から青木康之（94年度日体大卒）をDBコーチとして招《まね》いた。

大島は、94年初優勝時の初代〝アニマルリッツ〟のメンバーであり、社会人ではアサヒ飲料で00年にライスボウル優勝と、国内トップレベルの環境下でプレーした実績があった。何より大島が恵まれていたのは、日米のトップコーチの下でフットボールを勉強できたことだった。当時のアサヒ飲料は、ヘッドコーチが藤田智（89年度京大卒QB、元富士通ディレクター、現京大ヘッドコーチ／指導者として7度のライスボウル優勝）、コーチがトム・プラット（元NFLコーチ／カンザスシティチーフスでスーパーボウル優勝）だったからだ。

「僕は、フットボールは（技術や戦術は）めちゃくちゃシンプルでいいと思っているんです。（社会人時代の米国人コーチのツテで）アメリカのキャンプに帯同させてもらったり、大学もたくさん見せてもらいました。その時にコーチと話す機会も多かったのですが、フットボールのスキルや戦術の色々なことを聞いても、やらないといけないことは全部一緒で、返ってくる答えも基本的なことだけだった。あのレベルの人たちであっても、そこが大事なんですよね。それと技術や戦術以外で大事なことは、知識を教えるのではなくて、結局は人間性なんです。いい人間性の選手は伸びるし吸収できる。だから僕が教えたいことは、本当にシンプルなことだけなんです」

だが、大島も20、21年は、全てをドラスティックに変えていいか、まだ迷いがあった。

ピリオドを打った第2次古橋体制

WJBでは関学を相手に、20年は再び残り3秒でFGを決められて逆転負けし16失点（●14－16）、21年はランディフェンスが崩れて34失点（●24－34）と、いずれの年も納得のいく試合はできなかった。そして迎えた、22年。ディフェンスコーディネーターとして3年目を迎えた大島は、ようやくやりたいディフェンスができたという。

22年の最初に、選手たちにも正直にこんなディフェンスをしたいと話すと、選手たちも同じように感じていた。思い切ってサインも減らした。選手だのみになりがちだといわれても、自分たちの持てる力をフィールドで思い切り発揮できることのほうが大事だと、相手に作戦がバレていたとしても、春も秋も同じことを徹底した。結果、敗れはしたが、関学を10点に抑えることができた（●6－10）。

DBコーチとなった青木も、リードを主体とする大島のディフェンスが、選手たちに浸透してきたのを感じ取っていた。

「僕は立命館が連覇した03年のライスボウルの時、選手として逆側（シーガルズ）のサイドラインにいたんです。その時、立命館の選手たちが何かすごく楽しそうにフットボールをやっているのが伝わってきたんですよね。シーガルズにいた立命館OBのDB古庄直樹（99年度卒）や里見恒平（98年度卒）がいて、彼らもフットボールが大好き。だから、ご縁があってここに来る時は楽しみにしてきたんです。入ってみると楽しむだけじゃなくて常に追われているなという空気を感じました」

21年には、青木が「楽しそうにフットボールをやっていた」といった23年メンバーの一人であるWR長谷川昌泳（04年度卒）がポジションコーチとしてチームに戻り、長谷川の声掛けで、もう一人、パナソニックで長年活躍し、02、03年チャックミルズ杯受賞のQB高田鉄男（03年度卒）も、同じくポジションコーチとしてチームに加わった。

約30年の間に9度甲子園ボウル出場を果してきた立命館にとって、もはや関西制覇は3年に一度はあって当たり前。ところが、最後に優勝した15年以来7年間、フットボールの聖地から遠ざかっているのが現実だった。

だからこそ、青木を引っ張った古橋も、自らに課した4年を節目にけじめをつけ、後進に後を任せる道を選んだ。

創部100年の未来を見据えて

22年、古橋の後を受け、再建途上のチームの監督として指名を受けたのは、現場のコーチでマネジメント経験もある藤田直孝（94年度卒／ＬＢ）だった。

藤田は、98年に大学職員となってから07年までの10年間、コーチとしてＬＢを指導。10年から19年まではチームの副部長として現場以外のサポートを行い、20年から再びＬＢコーチを務めていた。

藤田の人選は、コーチングスタッフの中からチーム改革案を募り、藤田案が採用されて決まった。

「これまでチームに関わってきていて、〝こういうふうにやれたらいいな〟というアイデアは持っていました」（藤田）

現役時代から、強いリーダーをサポートする役割が藤田には合っていた。

選手時代の94年初優勝時には、同期の主将、松本恭（94年度卒／DL）や副将の永井良太（同／同）らを支えた。

コーチになってからは、平井、古橋、米倉と3代の監督についてきた。

常に、上に立つ人間と横や下にいる選手たちとの間に立って、チームの一員としての自分の役割に徹してきた。藤田はいう。

「コーチの僕らも学生たちと関わって、彼らと一緒に議論しながら運営する形にしたい」

新体制では、コーチ間の世代が近いこともまた藤田にとっても心強い。

新設されたチームのGM（ゼネラルマネージャー）には、監督経験があり学年が一つ上の米倉、攻守のコーディネーターには、オフェンスに一つ下の馬渡洋輔（95年度卒）、ディフェンスも馬渡と同期の大島が就いた。

詳細は次頁以降で記すが、OBOG会を中心に「ReSoP」や「チーム憲章」が動き出したタイミングであることも、チームを率いる監督という立場となった藤田にとって、大きな力となっている。

藤田は、サイズは小さいが、学生時代から口を開けば理論派LBとして初出場の甲子園ボウルでも活躍した。愛読書を聞くと、『週刊文春』で連載されていた『嫌われた監督 落合博満は中日をどう変えたのか』（鈴木忠平著、21年9月刊行）だという。支える側に徹した半生だからこそ、強烈な個性を持つリーダーに惹かれるのかもしれない。

これまでの支える側から、支えられる側となって、コーチ人生の大きな転機を迎えた50歳の監督、藤田にとって、創部70年を迎える2年目のシーズンは、新たな歴史の扉を開くシーズンとなるだろうか。

そして、10年後、20年後、30年後のチームを考える時期が、今まさに訪れている。

チーム復興の狼煙を上げる

現在、立命館のフットボール部で、〝チーム価値の創造〟を目的に、チームとOBOG会（ゴールデンパンサーズ／以下、RGP）の協同事業として動き出したプロジェクトがある。「Revolution & Solution of Panthers」（通称「ReSoP」／以下、ReSoP）がそれだ。

ReSoPは、卒部生たちの危機感から自然発生的に生まれた。

過去9回（94、98、02～05、08、10、15年）関西代表となったチームが、15年を最後に甲子園の地を踏んでいない。

チームは、09年から17年まで9年間チームを率いた米倉から、18年に再び古橋を呼び戻す形で再建を図った。

しかし、16年から導入されたWJBでは、全国8連盟のリーグ代表校によるトーナメント戦で東日本代表校と西日本代表校をそれぞれ決定する方式に仕組みが変わったこともあり、17年、19年と立命館はリーグ戦で優勝はしたものの、WJBで関学に敗退し、甲子園ボウルの関西代表の座を譲ってきていた。

15年からRGP会長に就任していた平井は、この危機感をチーム内だけでなく、関係者も共有すべきだと考えていた。特にチームを俯瞰して見てみると、見えてきたのは、自身も経験した監督、ヘッドコーチという立場の人間が担うべき役割と責務が、積み重なった実績とともに変化してきていることだった。

だからこそ平井は、現場のコーチたちを後ろからサポートしていく立ち位置の人間が必要だと考えた。

それは、同じフィールドに立ってプレーブックを見ながら選手たちに指示する人間ではない。自身のヘッドコーチ、監督時代には、それを大学職員から教授にまで昇進した岡本が担ってくれていた。この岡本が担っていたポジションこそ、米国でいうところのアスレチックディレクターであり、日本のスポーツ全般における耳慣れた言葉にするならゼネラルマネージャー（以下、ＧＭ）的な存在であった。

そうした議論をほかのＲＧＰのメンバーたちと重ね、21年5月で平井自身がＲＧＰ会長を退き、後任の増田昌義（83年度卒／主将にしてコーチ経験あり）にバトンを渡すと同時に、事務局長に推薦した安原壮一（98年度卒／大学職員）の二人にＧＭポジションの検討を伝えた。

増田は、岩谷産業に就職し、サイドワインダーズで選手を続けながら、80年代中盤に母校のコーチとして平井をサポートしていた。

平井の提言を受け、増田も安原もその必要性を感じ、本格的な検討に入ろうとしていた。

危機感が募った「21・12・5」

コロナ禍での秋季シーズンとなった21年12月5日、日曜日。立命館はＷＪＢで関学と6度目の対戦をして敗れた（●24－34）。スコア以上の開きが、そこにはあった。コーチや選手たちはベストを尽くして戦った。ただ、6年続けて甲子園への道は断たれた。94年に初優勝してから、ここまで関西王者から遠ざかったことがなかっただけに、「チームに変革が必要」だと、この試合を観た多くの卒部生たちが、痛切に感じていた。

ＷＪＢ敗戦の翌週、平井から連絡をもらったのは近江永郎（91年度卒副将／現ＲＧＰ副会長）だった。平井から「オンラインで顔を見ながら話したい」と連絡を受け、近江は平井の憂いを感じていた。後日、平井が声掛けして集まった相談役の仁ノ岡、ＲＧＰ会長の増田、奥平満（78年度卒）らのオンラインミーティングにおいて、近江はこれまでに感じていたチームの現状の課題とその対策について5枚の資料を作成し、今、何が課題で、チームが何を求めていて、牽引するにはどんな人物像が適しているのかを伝えた。

近江は、「このままではいけない。抜本的な改革が必要では？」と提議し、自らが考案した改革プロジェクトを提案した。その後、ＲＧＰ会長の増田と数回の打ち合わせを経て、ＯＢＯＧの経験や知見でチーム改革をサポートしていくプロジェクトとして、ＲｅＳｏＰを立ち上げることとなった。

近江が作った資料には、〝ALL PANTHERS〟での体制が描かれており、組織名には仮称としてＲｅＳｏＰの名が入っていた。

近江は、仁ノ岡監督、平井ヘッドコーチ時代の91年度卒で、ディフェンスコーチには嘉原淳

一、丸山浩史がいた。古橋が4回生の時には1回生として、米倉輝（2回生）、藤田直孝（1回生）とは、自身が4回生で副将だった時に同じチームでプレーした。

大学卒業後も就職した阪急グループ（現エイチ・ツー・オー リテイリング株式会社＝阪急阪神東宝グループ）の持つ社会人チームで8年間プレーし、息子（克仁／17年度卒主将）と娘（佑璃夏／21年〜フラッグフットボール女子日本代表）は二人とも立命館宇治中、高校、大学を卒業。春秋を問わず、母校の試合観戦は欠かさず、愛車には足跡マークがどんと張られている。

息子・克仁の宇治中パンサーズ入学後、08年から請われて中学のコーチとなり現在も続けている。平井がＲＧＰ会長となった15年からは、ＯＢＯＧの活発な交流を推進し、チームの就活サポートプログラムや会報の刷新、決起集会の定例化、卒業生を送る会の企画など、チームのために尽力してきた。70年の歴史を持つチームのＯＢＯＧ会で、10人以上の代で唯一１００％の会費徴収を誇るのは近江の代である91年度卒だけで、それをまとめ上げたことでも近江の求心力の大きさがわかる。

チームを傍で見守ってきた近江だからこそ、〝何とかしたい〟気持ちは人一倍強かった。組織人としても、若くして関連会社の代表職まで勤めた経験が、ＲｅＳｏＰに大いに反映されていた。

卒部生それぞれの思い

一方、関東でも同じタイミングで、ＯＢチームでフラッグフットボールに参加していた釜石剛（97年度卒／ＷＲ）や椙《すぎ》田圭輔（02年度卒／ＱＢ）らが、「これはもうそろそろ何とかしないといけない」と話していた。

「（パンサーズには）優勝経験のあるＯＢがこんなに大勢いて、チームがこういうことをやっていくべきだというような話が出てきている。みんなそれぞれ社会人としていい大人になって、色々とネットワークができてスキルや専門性が身についているので、それをチームに還元できないものかと。そもそも窓口があれば、そこで取捨選択してもらえればいいと思ったんです。きっと、自分だったらこういうことができる、こういう感じで貢献できるよ、といった話がたくさん出るだろうと。そうしたら実際、ＯＢグループの〝メッセンジャー〟などで結構盛り上がったという経緯があって。そこで出たアイデアを見て、（何もしないのは）もったいないという感じがしていた」（釜石）

つながりのあった栄力雄（97年度卒／ＱＢ）や泊圭太（98年度卒主将）、礒谷幸始（02年度卒主将）らの間では、フェイスブックを通じてグループを作ってみようという話になり、「Panthers

Improvement（改善）Note」（以下、ＰＩＮ）と題したメンバーグループ内でそれぞれが思うことを出し合い、闊達な意見が飛び交った。

ちょうどそんな時、釜石のところに、一つ下の後輩だったＲＧＰ事務局長の安原壮一から連絡が入った。

「安原は私の一つ下なんですが、彼から連絡あって、何人かの有志でチームの改善案を提案書にしてまとめてほしい。平井さんが提案してほしいといっているから、と相談を受けたんです」

釜石は、卒業後、外資系代理店に勤め、独立して現在では会社を３つ経営する実業家だった。平井がその能力を買っていたこともあり、安原は釜石に相談を持ち掛けた。

「PANTHERS 復活の提言」

関西でも、同じく21年12月5日の関学戦後、03年度主将だった高橋健太郎が個人のフェイスブックでこう呼びかけていた。

「やっぱりパンサーズが勝てていないのは悔しすぎる。僕ら世代のＯＢＯＧでパンサーズを強くするためのアイデア出しの議論がしたいなあ。ということで飲みながらオンラインで誰か軽くアイデア出しやりませんか⁉　きっとチーム関係者は考え抜いてると思うねんけど、やっぱり行き詰まりを感じてる部分もあるんじゃないかと思って……チームの外にいるメンバーだからこそ生み出される他愛もないアイデアがチームのサポートになるんじゃないかと思っています‼」

高橋の呼びかけに、同じ思いだった北出幸裕（02年度卒副将）や小西鉄兵（01年度卒）らも呼応した。

釜石のＰＩＮグループには、同じく小西や高橋の同期だった佐岡聖二（03年度卒）がいた。小西が高橋をＰＩＮグループに誘ったことで、東西のメンバーがつながった。

佐岡も高橋も、釜石の作ったＰＩＮでそれぞれ思い思いの意見を挙げていった。この時のＰＩＮ参加者たちの熱量は半端なかった。

「12月、1月はみんなの激アツメッセージがすごくて、これはまとめないといけないなとなりました」（釜石）

22年1月末、釜石は資料としてまとめた。それが「ＰＡＮＴＨＥＲＳ 復活の提言」で、このパワーポイントで作成された資料は27ページに及んだ。その一部抜粋をここで紹介する。

【はじめに】

今回の資料は今後、ＯＢ・ＯＧがチームを支えていく仕組みを構築するきっかけとして作成しました。社会人になり培ったスキル・ネットワークをいかんなくチームに還元するためのプロトタイプになります。

＊一部ＯＢ有志の意見をもとに構築しています。

パンサーズがいかに大学スポーツ、地域、を引っ張っていく存在となれるか大学生活（学問）と課外活動（クラブ）との両輪の中で人間形成を進め、大学卒業後、ビジネスフィールドにおいても活躍する人材を育成し輩出・中長期的に社会に貢献できる人材を育成する。

パンサーズが学生日本一であり続ける存在になるために。２０１５年から6年遠ざかっている日本一をいち早く王座の奪還するためにどのような組織・体制を組んでいくべきか。

パンサーズが世界のどこにも負けないクラブとしてのオリジナリティをどのように作るか、常に時代の先を進み、組織、運営、競技を超えた大学クラブチームの先駆者となるために大きなゴールを設定し取り組むことができるか。

以上の観点でＯＢからも声が上がりその一部を取りまとめます。

【目次】

【プロポーザル（提案書）】　中期5か年計画

・データマイニング　プレーのビッグデータ　解析
・コーチング　プラン
・その他意見
・ファンイベント
・リクルーティング（後略）

「ＰＡＮＴＨＥＲＳ 復活の提言」には、ＰＩＮで皆から意見として上がった様々な角度からの提言が盛り込まれた。

釜石は安原とともにこの資料の内容を平井に説明した。その日、ＰＩＮグループではこう報告している。

「皆さまお疲れさまです。中間報告です。平井さんにまず皆さんの想いとアイデア、熱意を伝えました。内容に関しては合意いただきＯＢのみんながこのような想いで動いていることに感謝されていました」（釜石）

ＲｅＳｏＰ設立メンバーが集結

平井にわたった「ＰＡＮＴＨＥＲＳ 復活の提言」は、安原からすぐにＲＧＰ会長の増田の手にわたった。増田は副会長の近江ともこれを共有した。近江は見た瞬間、声を震わせた。

「これだ！ と思いました。（近江自身が平井に提案していた5枚の資料を元に）骨組みを作り、さあこれから有志を募って取り組みについて考えていこう、と思っていた矢先に、すでに『ＰＡＮＴＨＥＲＳ 復活の提言』として、熱い闘志を持ち合わせて、血と肉を作っている若武者がいたんです」

その後、2月16日に増田は釜石から直接「ＰＡＮＴＨＥＲＳ 復活の提言」を聞き、近江が素案を元にＲＧＰとしても発信したいと考えていたＲｅＳｏＰの構想と体制のことを釜石にも共有した。再び、釜石のＰＩＮグループでの報告だ。

「本日、増田会長に説明しました。（増田会長からは）8割以上（ＲＧＰが）考えていることと同じ想いである。新しい組織＝ＲｅＳｏＰが立ち上がり、米倉さんがその責任者、3名職員がつき対応していく。我々の想いはこちらの窓口を通して話す会を作ってくれます。財務の視

近江が提案した資料の一部

(参考)組織力向上の循環
～自発的な行動を醸成させる～

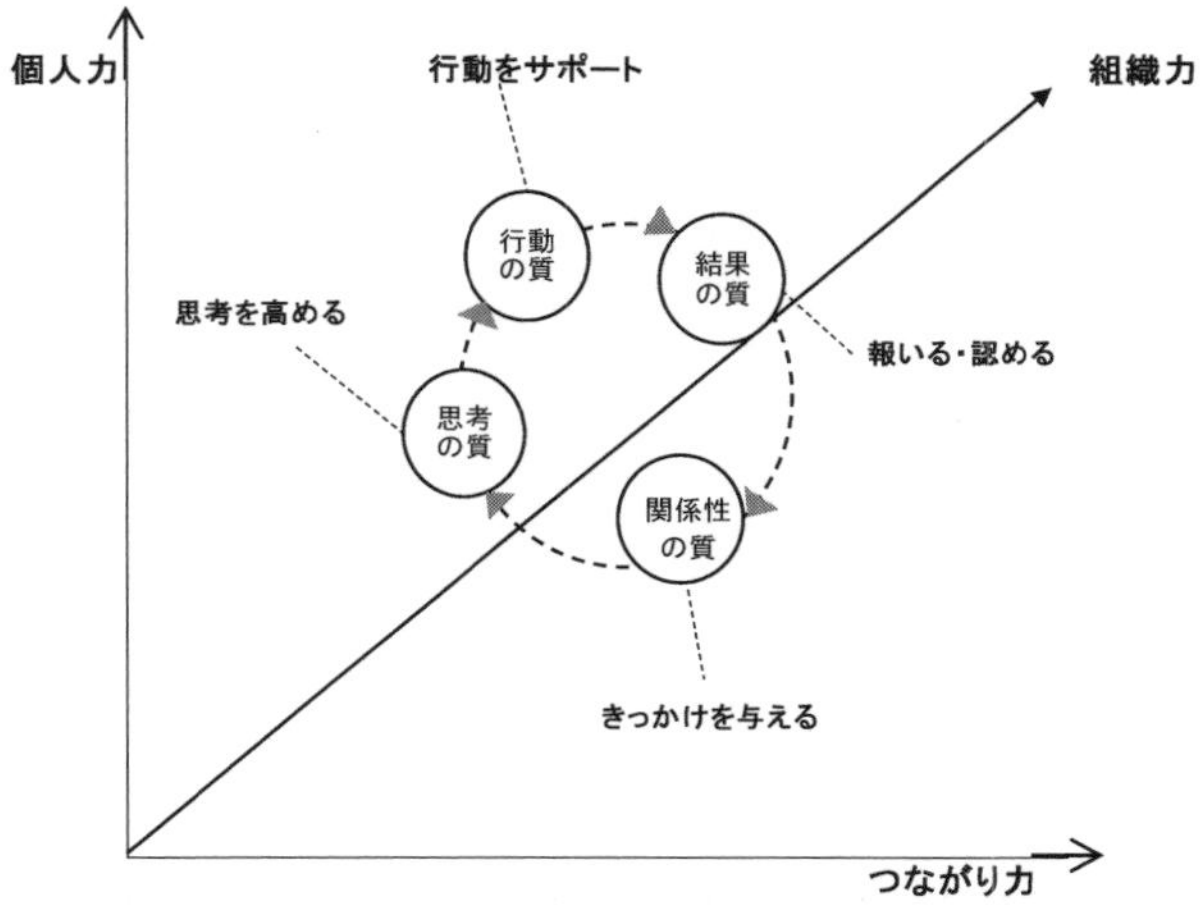

※マサチューセッツ工科大学ダニエル・キム教授提唱の「組織成功の循環」参考

点に強い人がいない。ＭＶＶ（ミッション・ビジョン・バリュー）も改めて理解を進めるべき。ということで前捌《さば》きも終わり、次からはみんなからどんどんチームにできることを伝えていくフェーズになります。（中略）最初は小さな動きかもしれませんが、みなさんのネットワーク、スキルを生かして貢献できればと思います」

2月27日には、釜石からこのような報告が入った。

「皆様、お疲れさまです。先ほどＲｅＳｏＰ責任者米倉さん、藤田さん、増田会長、近江副会長、安原と打ち合わせをしました。この組織で皆さんのアイデア、ネットワークを議論し、形にしていきたいとのことで承認されました。フローはできましたので皆さんのアイデアなどをざっくばらんに提案できる仕組みになります。提言にまとめたように　ＯＢがネットワークや知見を生かして、チームに貢献できる形になります。まず長期的に『ＰＡＮＴＨＥＲＳ２０３０』としてＭＶＶ（ミッション・ビジョン・バリュー）を佐岡くんのファシリテーション資料ですすめたいとのことでした。３月末までは、毎週日曜日17時から18時30分の中で各テーマ（簡単な）資料をもって参加いただけると。資料は事前にいただければＲｅＳｏＰに展開します。いよいよ動き出しましたのであとは皆さんの想いを入れ込んでいただければ‼」

12月の関学敗戦から、3か月足らずでの動きだった。

「MVV」と「クレド」

佐岡が提案したMVV（ミッション・ビジョン・バリュー）は、自らの社会人経験に基づいた発想だった。

「僕は仕事柄、コンサルティング会社の方々とよくご一緒する機会があって、今回のパンサーズへの提案を考えた時に、もし自分が立命館をコンサルするとしたらどうするかなと思った。それで、まずは組織としての考え方（『7S』）を見直して、価値観（『Shared Value』）を共有し、MVVを再定義する必要があるのではと思ったんです」

「7S」は、大手コンサルティング会社のマッキンゼー・アンド・カンパニーが提唱する「組織」の特徴を分析するためのフレームワークだ。7つの要素それぞれの特徴やバランス、整合性を確認することで、その「組織」を俯瞰して見ることができる。佐岡は母校のフットボールチームにビジネス用のフォーマットを当てはめて考えた。

「MVVに目がいったのは問題がそこにあると思ったからです。立命館では一つひとつの問題に向き合ってはいるけれど本質的ではないと。各人に軸がない状態に見えました。軸があれば一つひとつの問題に誰もが自分で向き合える。中央集権的な意思決定ではなく自律分散型を実現する必要があると。そこでMVVに着手したいと思いました」

もう一つ、佐岡がMVVを考える上で軸となる信条が不可欠だと考えたのには、「Credo」(以下、クレド)と呼ばれる企業信条が基礎にあった。

クレドは、ラテン語で「志、約束、信条」を表す言葉。佐岡が勤める外資系トータルヘルスケアカンパニーのジョンソン・エンド・ジョンソンでは、創業家によって据えられた「我が信条(Our Credo)」と呼ばれる決め事が存在し、社員全員がその信条に沿って行動し、事業運営の中核をなしていた。公式ホームページから抜粋して紹介する。

我が信条(Our Credo)

我々の第一の責任は、我々の製品およびサービスを使用してくれる患者、医師、看護師、そして母親、父親をはじめとする、すべての顧客に対するものであると確信する。(中略)

我々の第二の責任は、世界中で共に働く全社員に対するものである。（中略）
我々の第三の責任は、我々が生活し、働いている地域社会、更には全世界の共同社会に対するものである。（中略）
我々の第四の、そして最後の責任は、会社の株主に対するものである。（後略）

面白いのは、米国型資本主義で象徴的に語られる〝株主第一主義〟の発想が、創業136年を経た企業の優先順位として最も低いことだ。これだけ長く、世界中に知れわたる企業となっている理由がそこに隠されているのかもしれない。翌週の3月6日、ReSoP主要メンバーにプレゼンテーションを行った佐岡は、皆が中長期的なチーム像を共有することの必要性を強く感じた。〝共通の価値観〟を持つためのクレドについては、熱い議論が交わされた。

オリジナルな存在であるために

先にフェイスブックでの呼びかけを紹介した03年度の主将・高橋は、佐岡と同期で、卒業後は関西電力に就職。それでもフットボールとのつながりは続いていた。高校（関倉高）のコーチを経て、同期のパナソニックインパルス、高田鉄男からの誘いで、インパルスのコーチを20年までの8年間務めた。

21年12月、フットボールの現場から離れ、パンサーズの試合を観戦した高橋は、優勝を逃したチームへのもどかしさと悔しい気持ちを、自分の中だけに留めておくことができなかった。その気持ちをSNSを通じて発信すると、同じように思っていた仲間たちから反応があったのだ。

先輩の小西から関東の釜石たちのPINグループに誘われて加わってみると、さらに世代を問わず「チームを何とかしたい」と思っているメンバーたちとの輪が広がっていった。

高橋は、立命館は勝利を求められるのも当然だが、同時に人材育成を行うことで社会で活躍する人材を数多く輩出する、唯一無二の存在を目指すことが大事だと考えていた。

「自分なりにチームの成長を考えた時に、勝敗だけで大学4年間の評価が決まるというような考え方は非常にもったいない。もしかしたら、負けた代だからチームに顔を出しづらいという思いを抱いているOBがいるのではないか。パンサーズの成長の好循環のためには、自分たちを育ててくれたパンサーズに〝何か恩返ししたい〟そんなマインドになれるような仕組みが大切だと考えています。21年のスローガンを見た時に、『日本一になること。尊敬され、支援されるチームになること』『立命館大学生として成長すること』『Beat Out／日本一を奪還し、常勝軍団の一歩目となる』とありました。決して間違ってはいないと思うものの、この3ワードだけでチームの考えが標準化できるとは思えませんでした。勝ちから遠ざかっているからこそ、勝つことに飢えて、勝利至上主義に近い感覚になってしまっているのではないかと案じました。自分自身の体験談から、勝てるチームは自立した組織で、自分で考えて行動できていると感じていて、こうした自発的な行動を活発化させるためには、自分たちの行動の判断において拠り所となる憲章が必要だと思いました。幸い、パンサーズのOBには様々な分野で活躍されている諸先輩方がおられます。そうした諸先輩方と議論を重ね、憲章を作り上げていきました」

時間をかけた〝英知の結晶〟

ReSoPにおいて、中心的立場を担うGMの米倉は、任命された当初から決めていることがあった。

「私はフットボールの現場しか知らない人間ですから、どんな意見でも個人的な判断で止めることがあってはならないと思っています。社会で様々な立場、経験をされているOBOGの皆さんが、チームのために惜しみなく出していただく英知を可能な限りチームに還元できればと思っています。ＲｅＳｏＰやチーム憲章に、一つのビジョンにここまで（1年半近く）時間をかけているというのはすごいことだと思います」

10年シーズン、米倉がヘッドコーチ時代に平井や仁ノ岡、大学関係者にも協力を仰いで作り上げたのが、「パンサーズチームゴール」（２０２ページ参照）。次に掲げる３つのゴールであった。

「日本一になること」
「尊敬され支援されるチームになること」
「立命館大学生として成長すること」

今回作成した「立命館大学体育会アメリカンフットボール部チーム憲章」（以下、「チーム憲章」）は、〝オールパンサーズ〟という視点から、パンサーズの一員であることを全関係者が誇りに思えるよう、過去に学び、今を研鑽し、未来を創ることを基礎とする。そこには、クレド（志、約束、信条）であり、未来のパンサーズを導くための普遍的な行動指針の基準となる、ことが謳われている。

「チーム憲章」にはどんな想いが盛り込まれているのかを紹介する。

Riddell
Riddell
2009
PANTHERS
RICE BOWL
LXII
11

53

72

MITSUBISHI
SONY
MILD SEVEN

関西ペイント
SSK
SONY

AiR
58

PANTHERS

アメリカンフットボール部チーム憲章の制定に込めた思い

パンサーズの歴史は、１９５３年に始まり、チーム名称をグレーターズからパンサーズに変え、現在に至ります。チームの歴史は、チャレンジの連続によって積み重ねられ、頂点に立つことができた時代、また勝利から遠のいた苦境の時代、様々な局面において、我々は常に更なる高みを目指し、諦めることなくチャレンジし続けたからこそ、今があり、パンサーズへの誇りとメンバーシップが存在します。

この憲章は、このような過去と積み重ねられた歴史から学んだ教訓を忘れることなく、それをチームの永続的な発展と繁栄に活かすために制定したものです。

我々は、過去に学び、今を研鑽し、より高みを目指して、誇れる未来を創らなければなりません。そのため、我々の様々なアクションは、他の部や学生団体を始めとした在学生、また校友や学園関係者を牽引するような斬新でありながら、社会に共有される価値を創出するものでありたいと考えています。これを遂行し、実現することこそが、我々メンバーの使命です。

このパンサーズ憲章は、大学に在籍しているメンバーだけでなく、これまで歴史を築いてきたメンバー、また附属校やパンサーズにかかわる未来のメンバー全てに向けたメッセージであり、共有したい価値観や行動指針を示したものです。この憲章の制定が、アメリカンフットボールの発展と、この競技を通じた個人とチームの未来を拓く道標になることを願います。

アメリカンフットボール部パンサーズ憲章

【理念】

パンサーズは、『立命館憲章』および『立命館スポーツ宣言』の理念を踏まえ、学生の本分である学業を最優先し、様々な学修を通した人格の陶冶《とうや》を目指す。同時に、アメリカンフットボールという競技を極めるに留まらず、附属校の児童・生徒や大学の在学生、また校友や学園関係者、さらには、地域社会に対して、「インテグリティ」を体現する中心的な役割を担う気概と責任を持って、常に先頭に立ち行動する。

また、学業とアメリカンフットボールというスポーツから培った力を活かしながら、個々のポテンシャルを開花させるとともに、地球市民（※）として求められる正義と倫理、そして新たな未来を切り拓くことができる豊かな人間性を持ち備えた「人財」を育成し、輩出することを使命とする。

そのため、パンサーズのメンバーシップを有する全ての人々が以下に示すような力を培い、社会をリードするような存在になるように努める。そして、未来のパンサーズを担う人たちが人として憧れるような存在になる。

(1) 多様な価値を尊重し、他者との対話と協働を重視した上で、「平和と民主主義」の価値観に裏打ちされた自律的な思考と行動ができる
(2) 既存の枠組みや境界を超えた「自由」で「清新」な思考と行動ができる
(3) グローバルとローカルの複眼的な視点から物事を捉え、課題を発見し、変革を恐れずに挑戦し、解決することができる
(4) 自己を理解し、自らの役割や課題を踏まえた責任ある思考と行動ができる
(5) 「未来を信じ、未来に生きる」という高い志を持ち、生涯にわたって学び、行動し続けることができる

※同じ地球に住む一員であることを自覚し，国境・人種を超えて地球上の問題を考え解決していこうとする意識をもった人。『立命館憲章』（2006年7月21日発布）内に明記されている。

（理念を具現化する体制・環境の整備と確立）

理念を具現化するために、パンサーズは、メンバーに対して以下のことを誓う。

（1）パンサーズで活動するにあたって、身体的・心理的安全性を確保するとともに、基本的権利を保障する

（2）ダイバーシティを理解し、それを尊重した上で、人の尊厳を守る

（3）闊達な意見を自由に提案できる環境の下、活動を通じて、自己と組織の成長ならびに目標の達成を感じ得ることができる体制・環境を整備し、確立する

（4）先進的かつ高い倫理に基づく教育と研究の英知を動員するとともに、物的な活動環境、活動をサポートする人材、そして最先端のプログラムなど、あらゆる方策を講じ、最高のチーム体制を確立する

【パンサーズメンバーシップポリシー】

パンサーズメンバーシップポリシーとは、パンサーズに属する一人ひとりの行動指針を表したものである。これは、パンサーズにかかわる全ての人々と信頼関係を築くための礎を示したものであり、その責任を果たすことを誓うために定めたものである。

このメンバーシップポリシーを実践することが、パンサーズの発展と全ての人々から「応援したくなるチーム」となるための礎を築くことにつながる。我々は、このメンバーシップポリシーが全構成員に浸透し、定着するように努める。

（チームメンバーポリシー）

(1) 妥協することなく、常に成長・進化し続ける強い意志を持って行動する
(2) 思考を止めることなく、何事に対しても当事者意識を持ち、自律して行動する
(3) 自身の役割を理解し、メンバーと協力しながら、チームの成果に全力でコミットする
(4) 他者への思いやりを欠かさず、共に目標に向かって研鑽するチームメイトならびにライバル、さらには、競技をリスペクトする
(5) 活動できることへの感謝の気持ちを忘れずに、「応援したくなるチーム」の一員としての自覚を持って行動する

（OBOGメンバーポリシー）

(1) パンサーズで培った「誇り」と「責任」を忘れず、さらに研鑽を重ね、個人の成長とともに、

パンサーズや社会の繁栄、そして世界の平和に貢献する
(2) パンサーズの永続的な発展に向け、経済支援をはじめ、社会活動で得た知見を活かして、パンサーズとメンバーに対する支援に努める

【社会との共生】

パンサーズは、その活動を通じた全人教育を実践するとともに、社会との共生ならびにアメリカンフットボールの振興・発展に努める。

また、地域社会からの温かい支援に基づき、パンサーズが存在することへの感謝の気持ちを大切にし、地域社会に活力を与える象徴的な存在であることの自覚と責任を持って、明るく健康的で、豊かなコミュニティを育むために、最善を尽くす。

さらには、スポーツの価値と教育的意義を深く認識した上で、アメリカンフットボールに関連する諸分野での研究を高い水準で推進し、日本のアメリカンフットボールの振興・発展をリードする存在になれるよう努める。

これまでパンサーズの歴史を築いてきたメンバー、大学をはじめとした附属校や未来のパンサーズを担う全ての人々が「All Panthers」として一丸となり、アメリカンフットボールとパ

ンサーズの永続的な発展を願い、ここにパンサーズ憲章を掲げ、この実現に邁進することを宣言する。

ReSoPで創るチーム基盤

この項の冒頭で記したように、ReSoPの狙いはフットボール部の課題を洗い出し、課題ごとにプロジェクト化を図る。チーム内だけでなくOBOGの力も活用して、チームの価値を高めることである。

そのために、「収益性向上」「チーム力強化」「ガバナンス」の3つを柱として、『パンサーズ憲章』以外にも、様々な活動を推進していく。

主だったものでは、「ファンディング」「アナライジングシステム」「フィジカルコーディネート」「ソーシャル」「米国連携プログラム」などだ。

「ファンディング」では、チーム基盤を支える従来の〝OBOG会費〟に加え、個人だけでなく企業、法人からの寄付や資金調達を仕組み化する。新たなコミュニティを作り、寄付、企業協力のハイブリッドの形で有形無形のサポートを行っていく。新しいファンとのコミュニティ、新しい収益モデルへの挑戦となる。

「アナライジングシステム」では、固定カメラで撮影された練習動画をバックヤードでデータ化するためのシステム導入を企業連携で模索している。アサインメント、動きをその都度確認し、ゲーム解析を徹底して行い、データ化を図ってスカウティングのＩＴ化を推進しようという狙いだ。

「フィジカルコーディネート」では、医大との連携サポートに取り組む。分野としては、選手たちの体調管理、体力増強、呼吸生理学的・分子生物学的サポート、傷害予防、筋生理学的・整形外科的サポートなど、多岐にわたる。

「ソーシャル」では、チームと社会を結びつけることをテーマに、子どもたちの可能性、夢への希望につながる、啓発運動への賛同などを視野に入れている。

「米国連携プログラム」では、過去のオクラホマ大への研修やＮＦＬでの選手育成プログラム、それに紐づく日米コーチ間の人脈交流など、経験とネットワークを生かして、新たなプログラムの構築を想定している。

このように、ＲｅＳｏＰが中心となってチームを外から支え、「立命館大学アメリカンフットボール部パンサーズ」を一つの組織として捉え、その基盤にしっかりと深く根を張っていく。

その取り組みが、5年後、10年後の〝組織力〟となり、目に見えない強さへとつながっていくことだろう。

パンサーズは、今、そうした未来を創り始めている。

Team Panthers
「チーム パンサーズ」

附属校フットボール部、第1号「立命館宇治高」

数ある平井の功績の中でも、現在のチーム作りに直結しているのが附属校のフットボール部創設だ。

端緒は、1994年の初優勝時にさかのぼる。

既述の通り、立命館は独自の全学合意システムである「全学協議会」での決定の下で学園運営を進めてきた。94年当時は第四次長期計画が進んでおり、BKC開設のほかにも、小学校（2006年〜）創設にもつながる流れとして、小中高大の一貫教育の推進があった。

当時、この長期計画を担当した専務理事の川本八郎（89〜94年、95〜07年理事長）には、学園として〝立命館の核となって理念を体現してくれる学生を育てたい〟という思いが強くあった。その具体的な施策の1校目が、宇治学園との法人合併による立命館宇治高等学校（以下、宇治高）の設置であった。

宇治高は、翌95年度の春より、第1期生の入学が始まった。

一方、前年に長年の念願を叶えて、母校を関西学生リーグの頂点に導いた平井は、優勝を喜びつつ、先を見据えた行動も起こしていた。安定した大学フットボールのチーム作りには附属校の存在が不可欠だと、コーチになった当初から考えていた。それが初優勝のタイミングで大学の施策と合致した。平井はすぐに大学の協力を仰ぎ、附属校でのフットボール部創設の説明を行うために宇治高の増田潔校長を訪ねた。

そこで平井は、部の創設目的は、文武両道を基本として燃え尽き症候群を起こさせない、スポーツの楽しさを知り信頼できる友人を作ることを目的としたクラブ活動であると伝えた。また、大学でプレーを続けるかどうかは本人の選択であるとして強制はせず、あくまで安全面を重視したチーム作りを約束した。

平井の熱意に校長の増田も前向きな検討に入り、高校では新規クラブ創部が困難な状況であったにもかかわらず、フットボール部の創設が決まった。白羽の矢が立った西川隆史、山口宗信の二人の教諭が部の顧問となり、彼らの熱心な勧誘の甲斐あって、初年度で一学年10人以上が集まった。その年、大学の『イヤーブック』の中に、初めて附属校の紹介ページが掲載された。「勇者につづく新しい力への期待」と題された紹介文を校長の増田自らが記している。

■勇者につづく新しい力への期待

今春、立命館宇治高校となって最初の入学生の中から、早くもアメリカンフットボール部を

結成し活動したいという動きが活発化し、上級生もこれに呼応して、連日生き生きと練習を繰り広げる姿をみるにつけ、誠に頼もしい思いでいっぱいである。

何はともあれ、学生日本一、立命館スピリットここにありと全国にその勇名を轟かせ、数知れぬ多くのファンを魅了して栄光の座を勝ち得たパンサーズの快挙に、自分たちもこれに続きたいとの熱い想いが、多くの高校生の心にこだましたものであろう。

本校はそれこそ、長いスポーツ活動の歴史と伝統をもっている。それは青年期のスポーツが、相手に勝つためにこそ、まず己に打ち克つ強い精神力を培うものであり、また、相手や仲間と激しく競いあうが故に、共に高まる力と固い絆を養うものであるという点で、これにまさる学習場面はないとの理念を建学の中心に据えてきたからである。

学業にスポーツに精魂傾ける高校生の血のたぎりが絶えることなく燃えさかり、学校全体に充満してほしいものである。

本校アメリカンフットボール部が、一日も早く態勢を整え、多分学生ナンバーワンの地歩を占めるまでに、計り知れない労苦と精進があったであろうパンサーズから多くの教示と指導を受け、高校アメリカンフットボール界に、その雄姿を鼓舞し活躍してほしいと心から期待するものである。

増田　潔（立命館宇治高等学校長）

増田が期待した通り、宇治高フットボール部は、この時から15年後の09年、関西制覇を果たし、さらにそこから10年後の19年についに日本一の座に就いた。創部から25年後の全国制覇だった。

北の大地に誕生した附属校

同じく95年、北海道にある高校でも合併が成立した。

学校法人慶祥学園との法人合併により、札幌経済高等学校が立命館慶祥高等学校（以下、慶祥高）に改称された。

翌96年度には、宇治高同様、平井は現地に赴き、創部に協力してもらえる人材を探した。BKC近郊であればコーチ派遣もできたが、遠く離れた北海道では地元で当たるよりない。運よく競技経験者で地元の企業に勤めていた中川善之（現慶祥高教諭）がコーチを引き受けてくれることになった。宇治高の創部実績も生かされ、北海道にも附属校にフットボール部が誕生した。卒業生の椙田《すぎた》圭輔（02年度卒）は、02年甲子園ボウルに負傷欠場した高田鉄男に代わって先発QBとして出場、チームを堂々の勝利に導きMVPを受賞した。この時平井は、椙田を指導してくれた慶祥高の中川教諭に感謝の気持ちでいっぱいだったという。

そこから10年の時を経た06年、今度はBKCのある滋賀県内の守山市立守山女子高等学校が移管され、立命館守山高等学校（以下、守山高）となったタイミングで、附属校3校目のフットボール部創部が実現した。

連盟理事などで貢献した寺岡泰樹（85年度卒）と03年の日本一メンバーでもありトレーナーの横江崇弘（03年度卒）がコーチに就き、学生コーチらがアシスタントとして参加した。

「当時、大学でコーチされていた橋詰功さんからお声掛けいただきました。私はトレーナーでしたから、コーチのいない時には唯一の経験者であった沖田一樹君（初代主将／大学12年度卒）が担当してくれました。第1期生においては結果を残せた3年間ではなかったと思いますが、それぞれが次のステージで活躍してくれたことを嬉しく思っています」（横江）

沖田もその時のことは鮮明に覚えているという。

「（最初は）5回生の学生コーチの松村悠吾（05年度卒）コーチ、岡前佳具（同）コーチに練習メニューの作成指導をいただきながら、何とか基礎的な体作りとフットボール部の練習らしきものができている状況でした」

学生コーチの存在は、宇治高の立ち上げ時も大きかった。

原田洋介（95年度卒）、寺田伸二（同）、2回生だった新森久崇（97年度卒）らが、高校生たちの面倒をよく見たおかげで、宇治高内での理解が深まった。

「1年生主体のチーム（2年生が一人だけ）で、オフェンス隊形はプロピア隊形のみで、ダイブ、ブラスト、クリスクロス……そんな感じのプレーだけ。同じ京都の紫野高校戦でクリスクロスフェイクのQBランで初タッチダウンを取ったのはよく覚えています。創部して最初に、平井さんと生徒と一緒に西宮まで関学の練習の見学に行かせてもらいました」（原田）

06年創部の守山高に刺激を受けてか、元祖、附属校である立命館高等学校（以下、立命高）にも、07年にフットボールチームができた。ここでも平井の発想に野球部の部員たちが中心となって立ち上げの機運が上がり、OBの大前美郎（98年度卒／現立命館大職員）や安原壮一（同／同）がコーチとして指導に当たった。

「保護者の方々もたくさん協力してくれて、対外試合が行えるレベルまで活動は発展しました。紆余曲折がたくさんある中で、創部メンバーたちは練習試合や公式戦で結果を残していきました。WR清水優貴（12年度卒／DB）は大学でもプレーし、今は立命館大学職員になって頑張っていますし、QB小原祐也は1浪して京大に入りギャングスターズに入部して、4回生時にはエースQBとしてパンサーズに勝利しました」（安原）

最終的には、創部メンバーが卒業した11年以降は、部員不足となり休部に追い込まれたが（北海道の慶祥高も06年をもって休部）、存続期間中の高校と大学間の連携は、それまでにはなかったものであり、創部したことの意義は大きい。

名門・関学高超えの関西制覇

宇治高は、95年の創部から97年までは学生コーチ主体にファンダメンタルを重視した選手育成をしてきたが、98年からは大学のディフェンスコーチだった丸山浩史を監督に据えた。

丸山は、90年にDBコーチとして大学チームに加入。その温厚な性格は高校生指導にも向いていると平井が考えた通り、17年までの20年間、丸山は宇治高で監督を務め上げた。その間、2度の関西制覇（09、13年）を果たし、数々の名選手を大学に送り出した。

コーチングスタッフには、05年に、京大OBで92年の甲子園ボウル優勝を経験した東前圭が顧問教諭としてフロントに就いた。さらに08年には、大学から橋詰がヘッドコーチとして加入

（11年までの4年間）。大学界を席巻したオクラホマ大仕込みの〝スプレッドオフェンス〟を、宇治高でも導入しようと試みた。

橋詰がオフェンスを、東前がディフェンスをコーディネートした宇治高は、翌09年に大産大附を倒し、関西代表として初のクリスマスボウル出場を決めた。この時、大学を卒業したばかりで外部コーチをしていたのが、現監督の木下裕介だった。

木下は、01年に宇治高でフットボールと出会い、丸山の下でCBとしてプレー。04年に大学へ進学すると同時にパンサーズに入部し、フットボール漬けの4年間を過ごした。

留年した5回生の時（08年）、体育の教員になるべく、京都教育大学と滋賀大学にダブルスクールをして教員資格を取ると、翌年、京都市の非常勤講師の枠に採用され、仕事が終わってからだったが、母校の宇治高へコーチに行っていた。それが09年のことだった。

「（あの年は）相当熱い代で、熱い1年でした。今の宇治高のコーチの中には、当時のメンバーで戻ってきてやってくれている子もいる。つながりってやっぱり大事だと思います」

戻ってきたコーチというのは、ＱＢだった山口慶人（13年度卒／現大学職員）やＬＢ山田英揮（13年度卒）である。

特に、オフェンスコーディネーターも務め、その才能を高く評価されている山口は、木下についてこう語る。

「コーチ、選手を問わず、チーム内の誰もが〝木下監督を日本一に〟と思っていると思います。それくらい厚い信頼関係と、何よりも行動力が尊敬に値します」

山口自身も、木下から「正解」ではなく、「考え方」を教わったと思っている。今の生徒たちにも、それを教えたいという。

チームでは、12年に橋詰が大学に戻ると同時に、ヘッドコーチには東前が就いた。東前は翌13年に関西学院大学高等部（以下、関学高）を破り、再び関西制覇を成し遂げた。

ついに手にした高校日本一

木下が体育教師として宇治高に戻ったのは15年のことだった。

6年間のブランクはあったが、すぐにディフェンスを任された。しかし、当時の木下からするとCBだった自分では、LBやDLの動きのすべては把握できていない。最初の1年は、毎晩、先輩や知り合いに聞いてひたすら勉強した。正直、フットボールを楽しむ余裕もなく、むしろ自分がいかにフットボールを知らなかったかということに気づかされた。

それでも歯を食いしばって覚え、少しずつフットボールを理解し始めると、生徒にも、これが正しくて、これが間違っていると、的確な指導ができるようになってきた。木下のやりたいチーム像ができ上がりつつあった。

翌16年は関学高に敗れ、17年は関西決勝まで行ったが関西大学第一高等学校（以下、関大一高）に負けた。3度目の関西制覇まであと一歩だった。17年にオフェンスコーディネーターとして大学職員になっていた山口慶人が母校のコーチとして戻ったことも、プラス要因となっていた。

18年には、東前が顧問として一歩下がり、木下がヘッドコーチとなった。着実に力をつけていた宇治高は、2年連続で関西決勝に上り詰め、箕面自由高等学校（以下、箕面自由）と対戦。その試合の第4Qで、18－13で勝っていた宇治高が箕面自由のQB糸川幹人（のちに関学WR）に攻め込まれた残り時間1分14秒の場面で、DB西田健人のインターセプトが飛び出してゲームセット。木下が「過去一番の感動したシーン」として挙げた、会心の勝利だった。

クリスマスボウルでは、関東代表の佼成学園高等学校（以下、佼成学園）に敗れたものの、翌19年にはその佼成学園を下して、ついに全国制覇を達成した。

「それまでは日本一というのが最大のゴールだったのですが、19年に勝って、次の年（20年）

2019年．4度目の挑戦にしてクリスマスボウル初優勝＝日本一となった宇治高

に負けた。そこからは、いかに勝ち続ける集団を作ることができるかというテーマに変わった。連覇することはなかなか難しい。そこが今の立命館宇治高の次のステップだと思っています」（木下）

21年、関西の決勝は○10－0で関学高を破って、2年ぶりに5回目のクリスマスボウルに出場。6年連続出場してきた関東代表、佼成学園を相手に、残り2秒で逆転勝ち（○24－21）を収めて、2度目の日本一となった。

宇治高の〝弟分〟守山高

宇治高パンサーズ創部から、遅れること12年。06年に創部した〝弟分〟の守山高パンサーズは、2年目から監督・顧問に八反和之（82年度卒）が就任。それまで兵庫の宝塚東高等学校（以下、宝塚東高）でフットボール部の顧問をしていた教員の八反に、平井が声を掛けた。

初代主将を務め、小学3年生から中学卒業までの7年間、チェスナットリーグの京都ベアーズでのフットボール経験があった沖田一樹（12年度卒／RB）は、当時のことを懐かしむ。

「入学した年に、高校時代の部活をゼロから立ち上げるという経験は、何事にも代えがたい貴重なものになりました。公式戦への参加は叶わず、実戦経験はほぼない状態で1年生を終えました。2年生以降は、校舎も新しい場所に移り、グラウンドも少し広くなるとともに、宝塚東高にて教えておられた八反先生が赴任され、毎日ご指導をいただく環境が整い、ようやくフットボール部らしい活動ができるようになりました。1年目の実戦経験不足を挽回すべく、2年目からは土日ともダブルヘッダーの練習試合をするなど非常にタフな練習もありました。それでも、初の公式戦勝利、新人戦の優勝と少しずつチームが成長していることを実感でき、とても楽しかったことを覚えています」

09年には大学でDL経験のあった澁田淳一（08年度卒）も顧問に加わって基盤を整えた。

15年に大学から橋詰が加入すると、秋季シーズンに全国大会ベスト4まで勝ち上がった。準々決勝は●13－14の1点差で関学高に敗れ（その後、関学高が関西を制覇した）たが、U－19代表に選出されたQB荒木優也（19年度卒）が牽引し、クリスマスボウルまであと一歩のところまで迫って、過去最高の成績を収めた。

翌年には大学監督まで務めた古橋がディフェンスをコーチし、再び大学監督に復帰する18年までの2年間、高校生指導に当たった。

19年からは、宇治高をみていた東前が守山高に異動となり、大学コーチで現役時代はDBだ

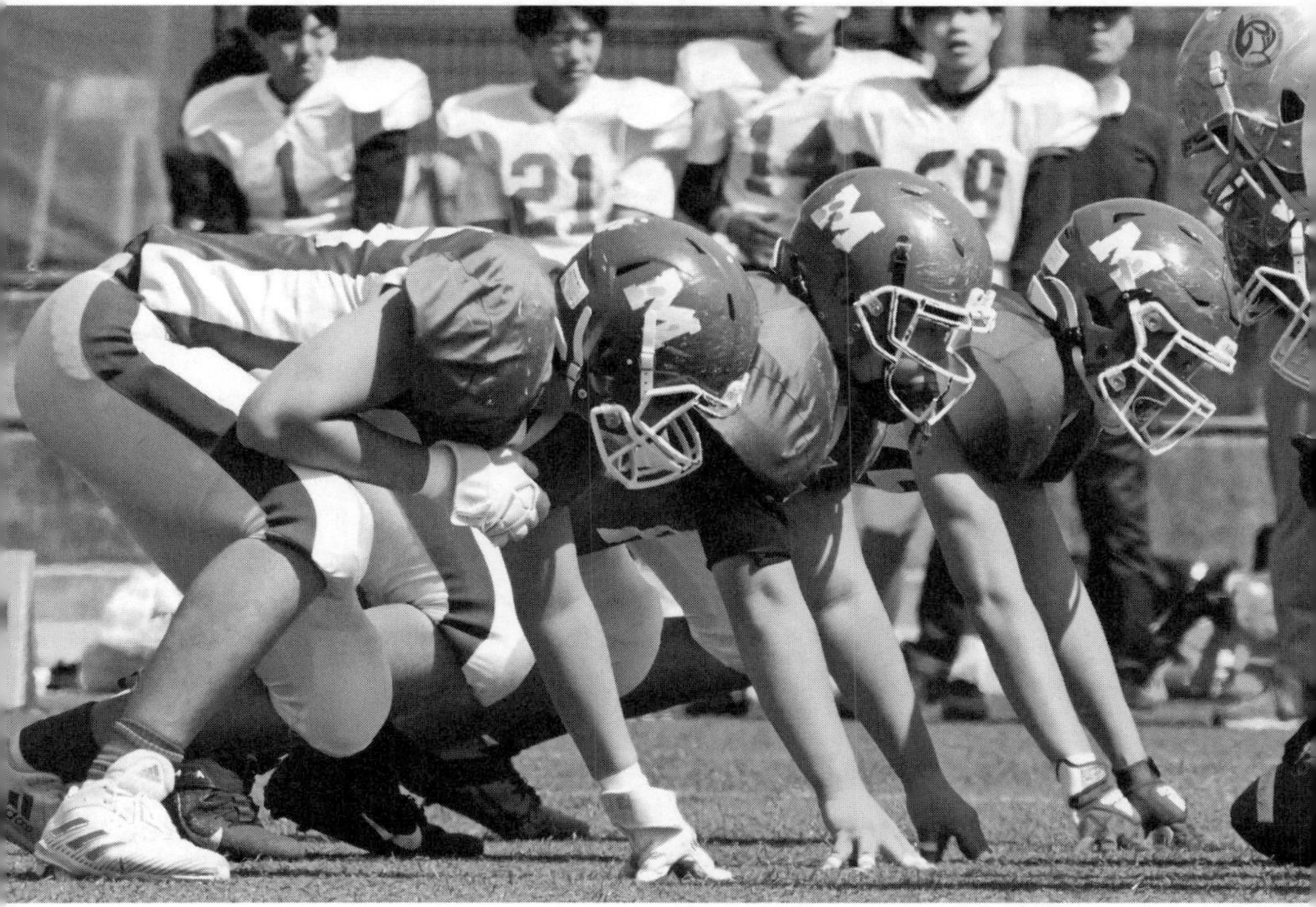

「M」のマークをあしらったヘルメットを被って対戦する守山高ラインメン。もはや宇治高との関西決勝も夢ではなくなってきた

った大島とＴＥだった大木一生（96年度卒）の二人が加入して、橋詰、古橋の後を補った。

連携は高校だけでは終わらない

一貫教育を目指す立命館の附属校は、宇治も守山も高校だけでなく中学校も存在する。宇治は03年に、守山は07年に開校した。

中学校でのフットボール部の立ち上げには、現在、立命館守山中学校（以下、守山中）で教鞭を執りながら監督として指導する押淵毅（99年入部）が携《たずさ》わった。

03年、押淵が5回生で教員試験を目指して留年していた時に、平井から創部したばかりの立命館宇治中学校（以下、宇治中）の指導を頼まれたのがきっかけだった。その後、押淵は05年に宇治中で常勤講師として採用され、さらにフットボール指導においても見込まれて、08年からは創部したばかりの守山中での採用となった。

守山中では、07年にフットボール部が立ち上がり、翌08年に押淵が宇治中から異動してその顧問兼監督となった。こうして、守山高、守山中ともに大学でフットボール経験のある人材が揃った。22年の秋季シーズンには、守山中は、創部16年目にして初の甲子園ボウル出場を果たたし、準優勝した。
「ようやく甲子園ボウルまで行くことができました。今年こそ、優勝します」（押淵）
押淵の後、08年に宇治中に就職したのが、現在の監督でもある末原勇輝（05年度卒／ＴＥ）だった。末原は、京都市内の東山高等学校から未経験ながら「スポ選」で大学チームに入部、4年間、毎年甲子園ボウルに出場した代だった。
「大学時代は先輩や同期のメンバーがすごかったので、ついて行くのが精一杯でした。純粋にフットボールを楽しめたかというとそうでもなかった（笑）。でも、今は逆に自分にできなかった〝フットボールを楽しめる〟生徒たちを送り出したい。そう思っています」（末原）
4回生の時、教職に必要な単位は取っていたものの、就職活動もしようと思っていた末原に、「お前、教員になるんと違うんか？」といったのがヘッドコーチの古橋だった。古橋も自身が一時は教員を目指していただけに気に掛けていたのだろう。末原は古橋にいわれた一言でハッとした。祖父は教員、父親は教員になりたくてなれなかったという話を小さい頃から聞かされていた末原は、そこから採用試験を受け、京都市内の公立高校で2年間教鞭を執り、08年に宇治中に来た。
その年、ＱＢ西山雄斗（17年度卒）とチェスナットリーグで経験のあったＷＲ近江克仁（同

兄貴分の大学BKCグリーンフィールドでの宇治中、合宿の様子。コーチの平井や昨年度、大学主将のWR伊佐真輝の顔も

が宇治中に入学して来た。西山と近江は9年後、のちに大学チームを率いるエースQBと主将でエースレシーバーにまで成長することになる。

ちなみに近江の父・永郎が末原から誘いを受け、08年から週末コーチとしてディフェンスをみることになったのも、この頃からだった。

その後、末原と同期の谷野雄治（05年度卒／DL）が関わってくれ、10年からは平井も週3、4日のペースで教えに来るようになった。

平井は、自身が理想とした〝中高大連携のチーム作り〟の現場に今も注力し続けている。

恵まれた宇治中の環境

末原は、現在の環境に感謝しているという。

「平井さんは、僕自身が至らないところも、そこはな、と後で教えてくださいます。あれだけトップで指導されていた方が中学生を教えるのは結構難しいと思うのです。レベルもだいぶ下げないといけないですし。一番多感な時期で話もまともに聞けない、何も分からない子どもたちに、とても丁寧に根気強く教えてくださるんです。フットボールの面白いところって色々あると思うんですよね。平井さんは一生懸命、戦術のお話を生徒たちにしてくださるのですが、10人いたら2、3人は寝てる。でも逆に、目をキラキラさせて聞く生徒も2、3人いるんです。ほんまによくこのレベルに付き合って、成長段階の子たちに合わせて、選手を育てるという視点を持ちつつ、どういう風にこのスポーツを楽しんでもらうかということをすごく大切にしながらやってくださる。こんなに有り難いことはないです。私が教員で責任者であることもめちゃくちゃ立ててくださいますし、本当は歯がゆいところもたくさんおありかと思いますが、そういうところもまったく出されません。子どもたちはもちろん、私も含めて大きく包んでいただき、すごく幸せな環境で平井さんと一緒にやらせてもらっています。近江さんには救われた一言があります。私が生徒が全然いうことを聞いてくれないと愚痴をこぼした時に、『そんなん今いって今分かるヤツなんておらへんで。大人になってから、いわれてきたことのほんまの意味が分かるやん。今は分からへんことのほうが多いかもしれへんけど、でもいい続けてあげへんかったら分かるようにもならへんねんから。いつか分かってくれるんやからと、そう信じてやったほうがお前も気持ち楽やろ』と。ほんと平井さんと近江さんと一緒にやらせていただいて、私自身がすごく学ばせてもらっています」

近江と平井以外にも、古橋と同期に当たる辻野俊之（88年度卒、旧姓・小林／ＬＢ）も長年

2022年、創部15年目にして守山中は甲子園ボウル出場権を摑んだ。関学中に敗れ惜しくも準優勝。
次こそは優勝だ

コーチングスタッフに名を連ね、18年には金沢大学でフットボール経験のある川端悠紀が顧問に加わり、21年からは常勤講師で大阪体育大学でチアリーディングをしていた平井優希がトレーニングコーチとして生徒たちをチアアップしている。

「おかげさまで私は4年甲子園ボウルに出ることができましたが、4年連続では勝てませんでした。生徒たちには、4年連続で甲子園ボウルに出て、4年連続で優勝する子を輩出するのが目標だという話をしています」（末原）

夢はまだまだ広がっている。

附属校出身のエリートたち

附属校出身の学生たちのリーダーシップは、大学チームでの幹部輩出の系譜を見れば明らかだ。

かつて大学が一貫教育として附属校に臨んだ〝立命館の核となって理念を体現してくれる学生を育てたい〟という理念そのままに、パンサーズ幹部に多く名を連ねている。その傾向は2010年以降、特に顕著だ。

主だったメンバーを挙げると、11年主将のLB名倉秀亮（宇治高）、副将のTB北川舜（宇治高）、14年副将のWR岸啓輔（宇治高）、15年副将のOL白波瀬慧（宇治中→宇治高）、DB荒木拓也（宇治中→宇治高）、16年主将のOL西信一郎（宇治高）、副将のDL大野莞爾（宇治中→宇治高）、17年主将のWR近江克仁（宇治中→宇治高）、副将のQB西山雄斗（宇治高）、18年主将のOL安東純一（宇治中→宇治高）、副将のWR廣吉賢（宇治中→宇治高）、DB近田優貴（宇治高）、19年副将のQB荒木優也（守山中→守山高）、DL加藤聖貴（守山高）、20年副将のDL國分貴光（守山中→守山高）、LB文字大河（宇治中→宇治高）、21年主将のTB平浩希（宇治中→宇治高）、22年主将のLB坪倉拓未（宇治高）とWR伊佐真輝（宇治中→宇治高）らがいる。

主務、総務でも、10年主務の麻生晋平（慶祥高）、12年主務の倉方淳史（宇治中→宇治高）、総務の髙島菜緒（立命館高）、13年主務の浅川済（宇治中→宇治高）、15年主務の山本捷（守山高）、19年主務の川村朋子（守山高）、21年主務の関郁哉（宇治高）、総務の堀池大吾（宇治中→宇治高）らが、選手たちをサポートしてきた。

ほかのアナライジングスタッフ、トレーナーなどの要職も含めると、その数はここですべてを挙げられないほどの数になる。高校時代の部活動クラブをフットボール部だけに縛らなければば、さらに人数は増えてくる。

立命館の附属高は、いずれも偏差値で60台後半~70台の進学校である。競技としてもIQの高さを求められるフットボール部に所属し、日本一を目指して、高大、中高大と競技を続けることは、彼らの人生にとって大きなアドバンテージとなっているはずだ。

一人の学生コーチの思い

ここで23年、選手から学生コーチとなった一人の4回生を紹介したい。

これは毎月、チームから送られるOBOG会報『GOLDEN PANTHRES NEWS LETTER』の23年版第2号に掲載された巻頭インタビューである。

彼は附属校出身者ではあるが、伝えようとしていることは、一人のチームメンバーとしての思いだ。きっとチームの長い歴史の中で、本書で触れられない選手、スタッフ、少しでも関わった人たちも共感するところがあるのではないだろうか。

学生コーチ　インタビュー

「第2のフットボール人生」

藤井大輔　産業社会学部　現代社会学科4回生　立命館宇治高校出身

◎はじめに

フットボールを始めて9年目の昨夏、練習中のけがで私のプレーヤー人生に突然ピリオドが打たれました。たった1日であらゆることが大きく変化したことで、これまで何げなく過ごしていた日々について深く考えるようになりました。私だからこそパンサーズの仲間に伝えられることがあると思い至り、2023年度の幹部に立候補しました。「学生コーチ」という肩書をいただき、日本一達成への力になる所存です。

◎これまでのフットボール人生

母に勧められたことがきっかけで中学からフットボールを始めました。当時はRBで、3年時に関西1位を決める大会で負けたのを機に「関学に勝ちたい」という思いが強くなりました。「打倒関学」の誓いを立てて高校でもフットボールを続けることを決意しました。

高校ではDBに転向し、1年時からスターターとして試合に出させていただきました。2年時にはU－18日本高校選抜チームに選出され、日本代表として米国でプレーする機会にも恵まれました。副キャプテンを務めた3年時は立命館宇治高初の日本一になることができました。その年の春に、関大第一に完敗したことで幹部を中心にチームを作り直し、最終的に「高校日本一」の栄冠を勝ち取れたことは、自分自身を成長させることができた貴重な経験でした。日本一の達成感から、大学ではフットボールをやめようとも考えましたが、高校での1年と2年のシーズン最後の試合を私のミスで落としたことが後悔としてずっと心に残っていました。悔し涙を流して高校を卒業していった先輩たちと一緒に大学でも日本一を取りたいと思い、フットボールを続けることを決断しました。

◎大学パンサーズ入部後

自信を持って大学パンサーズに入部しましたが、レベルの高さに加えて新型コロナ禍で練習もままならない状況をどうやって打破すればいいのか分からず、1年を棒に振ってしまったというのが正直な気持ちです。1回生時はCBでしたが、2回生になってから、高校時代のポジションだったセーフティーに変えてほしいと首脳陣に直談判をしたり、フィジカルを強化した

U-18日本代表にも選ばれた藤井大輔。大きな挫折を乗り越え、自身の経験をチームの力に変えたいと願う

りと自分なりにいろんなチャレンジをしました。しかし、夏にけがをしたことが響き、秋シーズンでもスターターを取ることができませんでした。以後、悔しさを糧に一層練習に打ち込むようになり、3回生の春にはスターターの座を獲得しました。努力したことが結果として報われたことがとてもうれしかったです。

選手生命を絶たれるけがを負ったのは3回生の春シーズンの全試合にスターターとして出場し、手応えを感じていた直後のことです。最初はすぐに復帰できるものだと軽く考えていたため、選手としてプレーすることが難しいとわかった時はショックでした。私のフットボール人生での一番の挫折でした。目の前が真っ暗になり、絶望しました。部をやめることも考えましたが、チームに残ったのは、このチームのみんなが大好きで、このメンバーと最後までやりきりたかったからです。とても辛い時期でしたが、仲間や家族、たくさんの人に支えられ、たくさんの温かさを感じ、もう一度前を向こうと思えました。私がつけることができなくなった4番は今、QB庭山大空（立命館宇治④）がつけてくれています。4番をつけてフィールドに立つ彼の姿がとても力になっています。仮に個人スポーツだったらきっと続けていなかったでしょう。チームスポーツという環境に身を置くことができて良かったと、心から思います。

その一方で、プレーヤーから学生コーチへ転向し、どうやって他のコーチや選手と接していけばいいのか、なかなか答えが出ませんでした。チーム内での存在意義について自問自答する中で、私は何か一つのテーマにフォーカスしようと考えました。それはキッキングです。秋リーグ最終戦の関学戦では、相手のキックオフリターンに対して、DBの＃15井上七輝（興国④）や＃42今田甚太郎（駒場学園②）、そしてDL＃49小林慶人（立命館守山④）が完璧に対応して止めてくれました。試合には敗れましたが、コーチとしてのやりがいを初めて見いだせた、私の中で忘れられない試合となりました。

◎幹部に立候補した理由

自分の経験をチームの全員に伝えたい、私が発信するからこそ、より伝わることがあると考えました。私がまず伝えたいのは「1日1日を大切に生きてほしい」ということです。人生はたった一瞬の、ほんのささいなことで大きく変わります。それをプラスにするもマイナスにするも自分次第です。今日という1日をただの1日にせず、大切にしてほしい――。そうやって濃い1日を積み重ねていくことが日本一への道だと考えています。私はプレーで引っ張る幹部にはなれませんが、私にしかできないやり方で1年間チームを引っ張っていきます。

◎学生コーチとしての目標

今の立場となり、指導者は選手との信頼関係が最も大切だということに気付かされました。信頼関係を築いていないコーチに対して選手は何も打ち明けてくれません。一方で信頼できるコーチには何でも打ち明けたくなります。だから、私は「コミュニケーション」を何よりも大事にしています。選手の頑張りを見逃さず、自分から積極的に声を掛けること。お互いに何でも言い合えて、頼られるコーチになりたいです。目に留まりやすい上デプスに比べて、下デプスは目が行き届きにくいため、私は特に下デプスに注力しようと考えています。チームの底上げには下デプスの成長が不可欠です。下デプスのプレーヤーにはモチベーションがバラバラで、コーチとうまく心を通わせられずに、せっかくの能力を持ちながら埋もれてしまっている人もいます。私がそんなプレーヤーとコーチの架け橋になります。

◎最後に

私はプレーヤーとして、自分なりに力を尽くしてきました。プレーヤー人生では努力が報われたと感じた場面も多くありました。悔しさも数多く味わいました。全ての経験が無駄ではなかったと今、言い切れます。努力は必ずしも報われるとは限りませんが、学びになります。無駄にはなりません。だからこそ、日々を大切に、2度と返ってこない「今日」という1日を過ごしてほしい。私自身も残り1年の学生生活を悔いなく終えられるよう、支えてくれた全ての人へ感謝の気持ちを忘れずに、大好きなこの立命館大学パンサーズで日本一を達成できるよう精いっぱい頑張ります。

「リトパン」と「ジュニパン」

パンサーズには、附属校以外にも弟分が存在する。

一つは、小中学生を対象としたフラッグフットボール（以下、ＦＦ）のクラブチームである「草津リトルパンサーズ」（以下、リトパン）だ。

チームがＢＫＣに移転した94年から、平井は、滋賀県草津市を拠点にすべく、地元草津市や有力者と積極的に交流して、フットボールを愛好してもらうきっかけとして、ＦＦチームの創設をサポートした。その甲斐あって、96年から草津第二小学校の体育科の中で最初に取り組まれ、98年8月には、市内の小学校教職員を対象に行われる体育実技講習会でＦＦが取り上げられ、草津市内のほかの小学校でも体育科の中で拡がっていった。

「地元小学校の先生と私の思いが重なりあって、ＦＦでの他チームとの交流も盛んになり、リトパンは草津に根づいた。練習場所は今もＢＫＣ。最初の頃は、米国からＦＦキットを取り寄せてお配りしたこともありました」（平井）

98年に正式に創設されたリトパンは、四半世紀を経た現在も存続しており、22年度の大学イヤーブックの後ろのほうで、このように紹介されている。

「草津リトルパンサーズ」の最大の目的は『人を育てる』ことです。フラッグフットボールを通して、豊かで幸せな人生を送ることができる人間を育成していきたいと考えています。また、成績としては、１９９８年の設立からこれまでに日本選手権で中学生４回、小学生２回、小学生低学年１回の日本一を達成しています。

フラッグフットボールとは、アメリカンフットボールを基に考案されたスポーツであり、「タックル」に変わり、プレーヤーの腰の左右につけた「フラッグ」を取ることに置き換えているのが特徴です。接触がなく、また少人数で楽しむことができ、小さな子供から大人まで誰もがどこでも手軽に楽しめるスポーツです。

今年も活動できることに感謝しながら毎週土曜日に練習しています。小中学生のみなさんの

参加を心よりお待ちしています。

そしてもう一つが、OBOG会が主体となって創設した「ジュニアパンサーズ」（以下、ジュニパン）だ。

こちらは防具を着けた本格的なフットボールで、タックルとダウンブロック（膝から下に潜り込むようなブロック）を禁じたタッチフットボールのルールで試合をする。チェスナットリーグに参戦することとして、当時大学チームの総監督だった仁ノ岡登とOBOG会が協力して、09年7月にスタートした。

「フットボールの底辺の拡大と、子どもたちにフットボールの面白さを知ってもらうために、OBOG会の主催でクラブチーム、びわこ・ジュニアパンサーズ（小学生、中学生対象のタッチフットボール）を立ち上げました。私どもは、新たな一歩を踏み出すことによって、本当に僅かですが社会への還元ができればと考えています」

これは、設立当初の仁ノ岡の弁だ。

現在、事務局を担当しながらコーチをしている、大学職員でありOBの青柳祐（02年度卒／LB）は、今年で教え始めて14年目になる。

ジュニパン出身選手は、山下のほかにも現２回生のQB中村旭陽（守山高）、LB田村脩（同）と少しずつ出てきている

「練習は日曜日。部員は小学生が10人、中学生はそれより少し多いくらいで全員で20数人です。小学1年生から中学3年生までが対象で、立ち上げ時のメンバーの一人は龍谷大学でプレーを続けてくれて、その数年後に初めて立命館に戻ってきてくれる選手が誕生しました。今では多くのジュニパン出身者が立命館はもちろん、京産大、近大、桃山、日体大に進学してフットボールを続けてくれています」（青柳）

青柳は1度は銀行マンとして就職し、転職して大学職員となってから、チームへの恩返しができたら、と住まいのある京都から毎週末、ＢＫＣに通っている。

「嬉しいのが、今年度の大学チームの主将の山下憂はジュニパン出身なんですよ」

ちなみに、山下憂は昨年度、ＧＰＡ（「Grade Point Average」の略。授業科目の成績評価に対して点数〈Grade Point〉を与え、その点数に各科目の単位数を乗じた合計を、履修科目の総単位数で割って算出した平均値のこと）でチームトップの4・45を叩き出した秀才である。

附属校とジュニアクラブの連携は、いつの間にか、中高大どころか小学生から大学までがつながり始めている。

本書のインタビューの中で、以前、平井はこんなことを話していた。

「ピーター・Ｆ・ドラッカーの本で読んだイヌイットに冷蔵庫を売る話はとても勉強になった。

チーム運営の考え方を見直すきっかけにもなった。チーム活動に付加価値を見出し、部員にも、保護者、学校、地域社会の人たちにも、魅力あるチームとして受け入れてもらうためにはどんなことができるのか、あれやこれや想像してワクワクした」

また、日本一にもなっていない、リーグ優勝すらできなかった時代に、チームに付加価値をつけるために、考え、奔走した平井にとって、今の〝パンサーズファミリー〟とも呼ぶべき連携は、さぞ満足いくものになっているに違いない。

ＯＢＯＧ会と後援会

パンサーズファミリーには、プレーする選手たちを応援する側の人たちもいる。

大学チームのＯＢＯＧ会である「RITSUMEIKAN GOLDEN PANTHERS」（以下、ＲＧＰ）は、22年度末時点で、約１４００人の規模となっており、これは立命館大学体育会の中でも最大数を誇る。

現在ＲＧＰ会長を務める増田は、21年に平井（15～20年）から引き継いで、本年の創部70周年事業を推進している。

ＲＧＰの活動目的としては、一言でいえばチーム支援。増田体制となった21年からは、「日本一のＯＢＯＧ会を実現させる」べく、組織を機能的に構築していくことを念頭に、重点課題として次のことを積極的に行っている。

・経済的支援の強化（ライバル校に負けない財務基盤の構築）
・大学当局との強固な連携（グラウンドなど設備の充実、コーチ陣へのサポート）
・選手リクルート、就活サポート（ＲＧＰ組織をフル活用した就活、高校生リクルート）

また、求心力が必要だと94年優勝時のＱＢ東野稔も副会長として加わり、ＯＢＯＧ会費の納入率アップやクレジットカード決済の導入など、チームを支える財政基盤の確立が急がれている。

就職支援では、7年前から求人会社に協力を仰ぎ、年間を通じた就活セミナーを開催している。先に取り上げたＲｅＳｏＰやチーム憲章などの動きも、ＲＧＰの主要メンバーから生まれた発想であった。

一方、後援会は、初優勝した94年を機に拡がってきていた父母会や教職員、大学卒業生らの会（パンサーズを応援する会）を一つにまとめた経緯がある。仁ノ岡、平井、岡本の3人には〝誰もが参加しやすい後援組織を作りたい〟との思いがあった。

そこでOBOGや体育会関係者ではなく、「立命館卒業生の中で京阪神在住の若手経営者でスポーツ経験がないこと」を条件に、組織をまとめてくれる人材を当たってみたところ、名前が挙がったのが、当時、大学の京都校友会会長（現顧問）を務めていた岡野益巳だった。岡野は、京都で150年以上建設業を営む（株）岡野組の現取締役会長である。96年、仁ノ岡ら3人は岡野の下に参じて直談判した。

「私はもともと格闘技が好きだったこともあり、体同士がぶつかり合うアメリカンフットボールもすぐに好きになりました」

岡野は大学時代は吹奏楽部で部長だったというだけあってまとめ役には適任。その温厚な性格と前向きに引き受けてくれた心意気に一同感服した。

「強いチームというのはファンがいます。パンサーズのファンの皆様も日本中におられます。岡山、広島、九州。関東の試合では（女子駅伝部の応援で）富士山女子駅伝の時に使ったであろう立命館の旗を持って来てくださる方々もいます。大学スポーツでこれほど注目度が高いチームは数えるほどしかないでしょう」（岡野）

パンサーズの卒部生だけでなく、保護者や学内外の後援会のサポートは、年々、拡大してきている。

日本人NFL選手誕生の夢

米国が生んだ競技であり、世界最高峰でもある4大プロスポーツである、ベースボール（MLB）、バスケットボール（NBA）、アイスホッケー（NHL）、アメリカンフットボール（NFL）の中で、NFLだけはいまだ日本人プロプレーヤーが誕生していない。

激しいコンタクトスポーツであり、戦術的な要素が多く高い語学力が求められるこの競技の、米国のプロレベルのハードルが極めて高いのは当然だが、それは他競技においても同じことで、かつては、MLBやNBAにおいても、イチローや大谷翔平、八村塁、渡邊雄太のような日本人プレーヤーが誕生するとは誰も想像できなかったであろうことを考えると、5年後、10年後に、日本人NFLプレーヤーが誕生していてもおかしくはない。

23年3月の「ワールド・ベースボール・クラシック」では〝野球がベースボールを超えた〟といわれるほど、日本代表の劇的な優勝で幕を閉じた。

だが、日本代表にメジャーリーガーは大谷を含め僅か4人。準決勝で当たったメキシコは20人、中南米のドミニカ共和国やベネズエラはそれ以上で、中東のイスラエル（7人）も日本よりは多い。また、ヨーロッパのイギリス（2人）、中南米のニカラグア共和国（2人）にメジャーリーガーがいることを知らない人も多いだろう。

競技人口では、世界で1、2を争う（約4・5億人といわれている）バスケットボールのNBAはいうに及ばず、米国4大プロスポーツにおけるグローバル化は、目覚ましいスピードで進んでいる。そんな中、日本でNFLプレーヤーへの期待が最初に高まったのは、プロの競技団体であるNFLの組織的な世界戦略が展開された時期であった。

NFLはマーケット拡大のために、自国以外での普及に力を入れ始めたのは、89年の「ワールドリーグ・オブ・アメリカンフットボール」（WLAF）が最初で、カナダ、ヨーロッパを拠点に10チームが誕生した。3シーズン後に、一時、撤退はしたものの、「春季教育リーグの必要性」を再認識したNFLは、95年に再び「NFLヨーロッパ」（以下、NFL欧州／6チーム）として、ドイツ、オランダ、スペイン、イギリス、スコットランドを拠点に復活した。

日本もまた、NFLにより市場拡大の拠点として捉えられた。89年から毎年8月に東京ドームで開催されていたプレシーズンマッチのアメリカンボウルのプロモーションによりさらに拍車がかかり、96年にNFLの日本オフィスが置かれ、国内での競技普及、振興が図られた。

世界に羽ばたいたパンサーたち

96年より、NFL欧州に派遣する日本人選手のトライアウトが始まり、翌97年、立命館から最初に選ばれたのは、OBの河口正史（95年度卒／LB）だった。

河口はその後、03年まで7年連続でNFL欧州に参戦し、アメリカンボウル（プレシーズンゲーム@日本、東京）でも、グリーンベイ・パッカーズ（98年）、ダラス・カウボーイズ（00年）のキャンプから帯同し、東京ドームでプレーした。02年に来日したサンフランシスコ・49ersからは、03年に米国本土でのキャンプに招集され、開幕ロースターまであと少しというところまで残った。

NFL欧州で活躍した選手はほかにもいる。99年に社会人の鹿島建設に所属するRB堀口靖がスコティッシュ・クレイモアズでプレー。堀口は河口の先輩に当たり、立命館で唯一人の1000ヤードラッシャー（92年度、関西学生リーグ）となった選手。98年度卒の里見恒平（現競輪選手）は、NFL欧州（00、01、04、05）やアリーナフットボール（以下、AFL／02、

03、06、07）など海外でプロ選手として契約した。パナソニックインパルスでRBとして活躍した樫野伸輔（97年度卒）も02年にアムステルダム・アドミラルズに参加している。WR井本圭宣（97年度卒）も、樫野と同じアドミラルズに帯同した。DBでは元野勝広（99年度卒）が異色の存在だ。02年にAFLからドラフトされ、以降、09年まで米国本土の4チームをプロ選手として渡り歩いた。

河口の後、最もNFLに近づいたのは〝ノリ〟こと木下典明（04年度卒／WR）だ。40ヤード4秒40の日本人離れしたスピードを生かし、05〜07年はNFL欧州に参戦。06、07年はリターナーとしての高い評価もあり、オールNFL欧州に選出。NFLアトランタ・ファルコンズのキャンプに招聘され、日本人初のルーキーフリーエージェント契約を結んだものの、惜しくも最終ロースターに残ることはできなかった。その後08年は、IPS（インターナショナル・プラクティス・スクワッド）の一員としてファルコンズに帯同した。

ちなみに、IPSはNFLの外国人選手の発掘、育成プログラム＝「インターナショナル・プレイヤー・ディベロップメント（IPD）」のキャンプに参加した選手たちの中から選ばれ、1シーズンにわたってNFLチームに帯同できる選手のこと。木下以外にも、同期のWR長谷川昌泳（04年度卒、現パンサーズオフェンスコーディネーター）、一つ下のWR大滝裕史（05

現在、NFLフラッグに挑戦中の、“立命館史上最高のアスリート”との呼び声も高い木下典明

年度卒）、ＤＢ三宅剛司（同）もこのキャンプに参加している。その後、大滝は07年にフランクフルト・ギャラクシーの一員としてプレーしている。

一方で、個人でチャレンジする選手たちもいる。その先駆けとなったのは、05年度卒のＲＢ佃宗一郎だろう。「ＮＦＬ選手になりたい」という夢を実現すべく単身で渡米しＡＦＬに挑戦。その後、欧州に渡り、12年から独プロリーグで2シーズンプレーし、４ＴＤを記録した。

また、現在挑戦中なのが近江克仁だ。これまでＣＦＬ（カナディアンフットボールリーグ）やＸＦＬ（米国の新規プロリーグ）に挑戦し、20年には米国育成プロリーグと呼ばれるＴＳＬ（THE SPRING LEAGUE）に参戦。ちなみに、ＴＳＬはＮＦＬ選手も多く参戦することで知られている。21年には欧州プロリーグ、22年は再び渡米しＸＦＬのトライアウトに参戦。23年春現在も挑戦は継続中だ。

世界初ＮＦＬとの二つの提携

立命館で特筆すべきは、ＮＦＬと二つの提携を結んできたことである。

一つは、01年度からスポーツビジネス領域で学術提携していること。同年、経営学部において協定科目の「21世紀のプロスポーツビジネス」を開設し、翌02年にはインターンシップの実施を合意した。

これには、経営学部の種子田穣（現スポーツ健康科学部教授）の功績が大きい。種子田は、自身も社会人になってからフットボールに熱中し、その世界に魅了された一人だ。競技としての興味がリーグ経営の視点にも拡がり、ついには、ＮＦＬジャパンを通じてプロリーグのＮＦＬと大学の間で正式に「高等教育の国際化とスポーツビジネス、サービスビジネスの発展を目的」とする協力協定を締結させたのだ。種子田の行動力と熱意の賜物といえよう。

もう一つは、ＮＦＬ選手の育成コースの設置だ。これはＮＦＬのＩＰＤ（International Player Development）の一環として始められたものであり、ＮＦＬ選手になる上で必要な英語力、フィジカル、フットボールスキルを大きく向上させるパートナーとして立命館が選ばれた。日本人初のＮＦＬ選手を誕生させることを目的とするものだった。

立命館は、フットボールの強豪であるオクラホマ大との提携など米国との交流が盛んだったように、古橋ヘッドコーチ（当時）においても将来的に立命館からＮＦＬ選手を輩出したいというＮＦＬとの共通のゴールが持てたことから、「ＮＦＬ選手育成コース」設置の第1号として提携した。これに続き、ＮＦＬは関西学院、日大とも同プログラムを提携した。

当時を知る元ＮＦＬジャパンのフットボールディベロップメントディレクターで、現在、米国在住でAJC Inc.のＣＥＯ荒井次郎（92年度卒／東海大ＴＥ）はこう回顧する。

「立命館パンサーズのインフラの充実度、分析スタッフの充実度、コーチングレベルの高さ、そして河口選手や木下選手をはじめとした数々の名選手輩出の実績を高く評価し、ＮＦＬとして日本人選手の誕生に向けたパートナーに最も相応しいと考えました。ＮＦＬが一つの大学とこうした提携を行うのは世界初のことでした」

この時に選出されたのが、ＷＲ尾崎健人（09年度卒）、ＷＲ宜本慎平（同）、ＷＲ田中翔（10年度卒）、ＬＢ佐藤修平（同）の４人。うち、１期生に当たるＷＲ尾崎と宜本の二人はＮＦＬ欧州夏季テストコンバイン（一次テスト）に参加。結果、日本そして立命館からのＮＦＬ選手誕生には至らなかったが、リーグの国際戦略において、ほかのフットボール大国であるメキシコやドイツなどにも大きな影響をもたらし、メキシコとドイツからはＮＦＬ選手が誕生している。

いつの日か立命館からＮＦＬ選手を

23年２月、40歳で現役引退を発表した木下だが、今度はＮＦＬフラッグでオリンピックを目指すと話題になった。

ＮＦＬフラッグは、世界でも１００か国以上の国で行われている競技であり、昨夏のワールドゲームズ（オリンピックの補完的な意味をもって行われるスポーツ競技大会）にもエントリーされた。運営母体である国際アメリカンフットボール連盟（ＩＦＡＦ）とＮＦＬは、28年に開催が決定しているロサンゼルスオリンピックでの採用を狙っているという。

先のワールドゲームズでは、女子はメキシコが米国に圧勝し、男子もイタリアが米国と接戦を演じるなど、米国一強ではない競技といえる。５人制であることや男女を問わないこと、子どもも参加できることなど、今の世相にマッチした競技としてＩＯＣが選ぶ可能性は少なくない。パンサーズでも大学だけでなく附属校にもＯＢのＦＦチームがあるようにポピュラーであり、フットボールの普及という観点からも目が離せない。

22年現在、木下はＹｏｕＴｕｂｅチャンネルを開設し、ＦＦ普及のための番組コンテンツ制作を行っている。その番組内では、「アメリカンフットボールをもっと普及させ、ＮＦＬ選手を出したい」と自らの声で発信もしている。

現役フットボーラーの近江も、いち早く、20年にＹｏｕＴｕｂｅチャンネルを開設。渡米してプロチームに帯同している様子や、現地でしか分からないフットボール事情を現在進行形で配信している。

「木下ノリ（典明）さんや高田鉄男さんの時代の〝アニマルリッツ〟は、僕が宇治中に入る前の全盛期の人たちで、社会人になられてからの活躍も見て、チーム内で憧れない選手はいなかったです。同じマルーンのユニフォームを着ていたことがすごく誇らしかったですし、だから高校でも大学でも、あのチームでやりたいという思いが強かったです」

近江は、先輩たちの背中を見て今も戦っている。

「僕は、大学1回生の時から、U－19やU－23などの大会に出させてもらっていて、他大学の選手や外国人選手たちと一緒に試合をしたことで確実に成長できましたし、良い勉強をさせてもらいました。そうした（パンサーズの）どんどん外で勉強してこい、という気風は（僕自身にとって）大きかったと思います」

近江は、自身の挑戦はもちろん、欧州にしても米国にしても、自ら切り拓いてきたコネクションをつないで、次世代へとつないでいきたいという思いもあるという。

木下や近江のような、こうした選手が出てきたこともまた、立命館が70年間紡いできた歴史があればこそだろう。

「立命館から日本人初のＮＦＬプレーヤー誕生」

そんなニュースが流れる日を夢見て、パンサーズはこれからも邁進していく。

チーム を支える〝スタッフ〟3つのポジション

立命館において創部当時から選手を支えてきたマネージャー（以下、ＭＧＲ）の役割が、トレーナー（以下、ＴＲ）とアナライザー（以下、ＡＺ）とに分業化されたのは、岡本直輝（現スポーツ健康科学部教授）が立命館に来た１９８４年からだった。

86年にはＭＧＲの長谷川敦子（旧姓・平井）が中心となってチーム初の選手名鑑入りのガイドブックを作成し、翌87年、岡本は米国ピッツバーグ大学への短期留学に学生のＭＧＲ中島直樹（87年度卒）を同行させると、中島は同じ学生の立場で、本場の大学で誇りを持ってチームに貢献するスタッフたちの働きぶりに目を見張ったという。

また、中島の同期の金沢昭兵や一つ下の永田泰雄らは、岡本からＴＲとしての指導を受け、その任を担った。

90年には、ピッツバーグ大学から持ち帰った出力データを元にして、初代ＡＺともいうべき藤沢幸蔵（90年度卒）が、試合解析システムを岡本と一緒に作り上げている。そこから30年余以上経った現在では、ＦＧ専門のＡＺが存在するまでになった。

ＭＧＲ、ＴＲ、ＡＺと３つに分かれる仕事の内容を聞いてみよう。

◎マネージャー（MGR）

主務　牧口達哉（4回生）

一つ上へのフェーズへ押し上げる

簡単にいえば、選手、スタッフ、総勢150人を超える大所帯を年間を通じてまとめ、動かしていくのが、MGR、特に主務の仕事だ。主務と総務は4回生、副務と会計は3回生が務めるのが習わしだ。

牧口は2回生までWR選手としてプレーしていたが、3回生に上がる際、今の自分がチームに貢献できることは何かと考え、チームに不足していたMGRになることを決断した。

自分が達成したいことはチームとして日本一になること。意志は固かったが、MGR1年目だった22年シーズンは、経験のない中で、副務として下回生をまとめていくのは難しかったという。

例年、2月初めにキックオフミーティング、2月下旬には納会が催される。その年の幹部は、春のトレーニング期やチーム活動を始める前のキックオフミーティングまでには決めておきたいというのが本音だ。ところが、今年は納会まで決まらなかった。難航した理由は、歴史の重みだった。

「昨年がこうだからというのではなく、本当にこのチームで日本一になるためには何が最適かと考え抜いた上で、今の体制になりました」

かつて、98年の甲子園ボウルに出場した年には、主将の泊圭太の上に主務であった石田聡が就いて学生日本一を成し遂げている。その年その年でチームは変わる。学生スポーツならではの考え方である。

「パンサーズは多様性や個性がすごくあっていいと

思うんです。ただ、その裏で、何をしてもいいということではないと思っています」

そこを一つ上のフェーズに押し上げていく難しさを感じている。

多様性といえば、主務は男性ありきという風潮だったが、16年に初の女性主務の石岡千晃が誕生し、19年に川村朋子が続いたという経緯がある。

「ほかのスタッフにもいえることですが、MGRの仕事はチームの基盤だと思っています。総務や会計もそうですし、広報、グッズやイヤーブックの制作、OBOG会や後援会担当など、僕のやっている試合の準備や運営を含めて、それらがなければチームは回らない」（牧口）

日本一のチームになるには、日本一のMGR集団にしなければならない。真面目な牧口だからこそ、あえて自分にプレッシャーをかけている。

◎トレーナー（TR）

チーフトレーナー　花田麗（4回生）

近くで見ているからこそのやり甲斐

「私はスタッフの3ポジションを体験してみて、TRが選手を一番近くで支えられると思いました。一番近くで選手が喜んでいる姿や悔しがっている姿を感じられることに、自分もやりがいを感じられるなと思って、TRを選びました」

パンサーズのチーフTR、花田はそう語る。

パンサーズでのTRの仕事は、練習の1時間半〜2時間前に集合して、まず水のタンク、フィールドの準備を行う。

その後、選手にテーピングを巻いたり、その日の体調管理を行うなどして練習に入る。

練習中は一人がタイムキーパーを行い、残り8人がオフェンス、ディフェンスのサイドラインに立ってケガ人の対応をしている。練習後には選手の体のケアを行うため、拘束時間は選手よりも長いかもしれない。

1回生は主にタンクの水を代えたり、選手の体から血が出ていたら傷の処置を行うが、彼らはまだ大きなケガには関われない。

「2～4回生になると、足首や関節のケガに関われるようになるんです。テーピングには筆記と実技のテストがあって、それに受からないとできないのが決まり。アスレチックTR（以下、AT）がジャッジしてくれます」

パンサーズのATには、花田らと同様、かつて学生TRとしてライスボウル優勝を経験した02年度卒

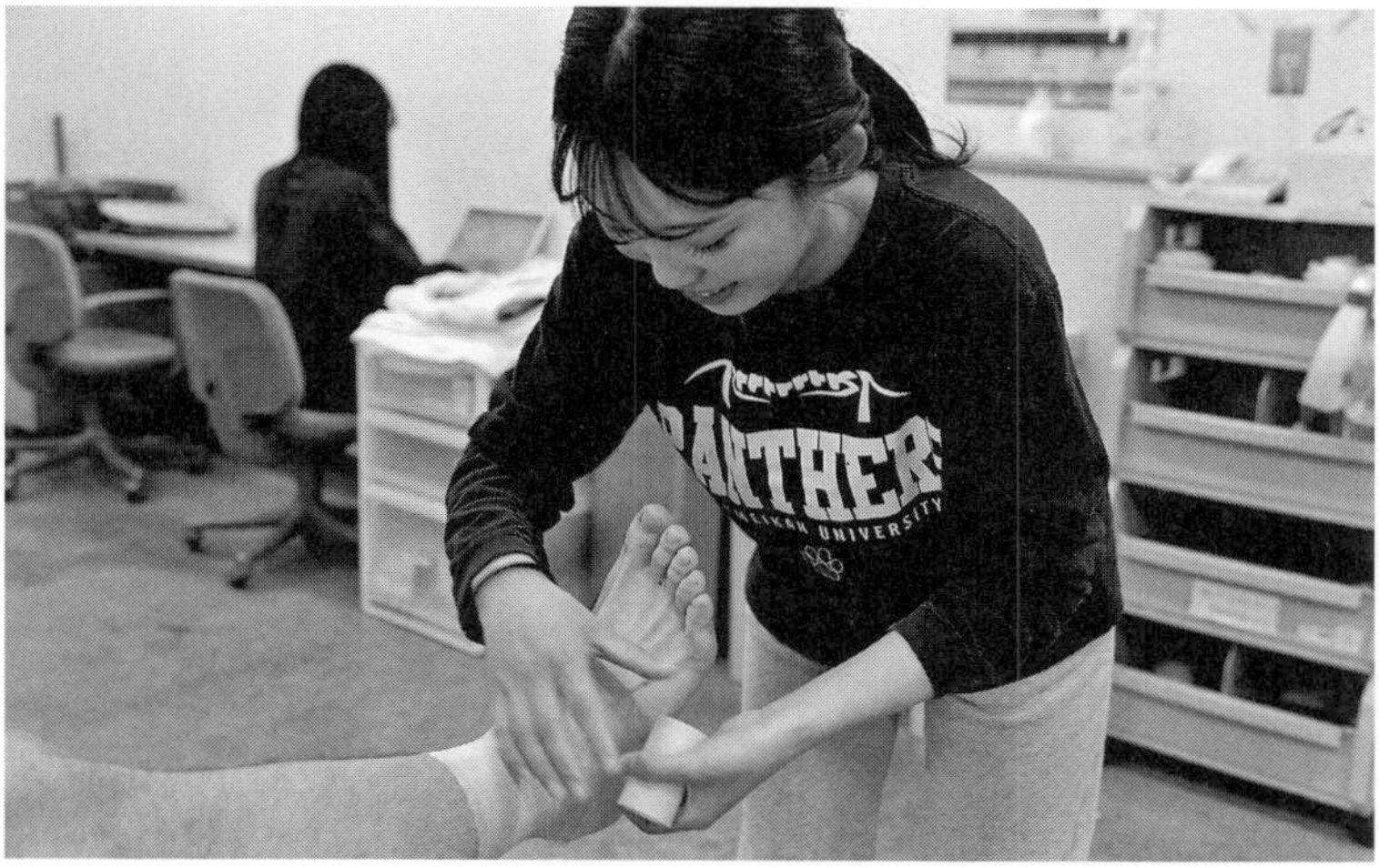

3つのポジションを体験して自分に合ったところを選ぶ。やりがいは人それぞれだ

の大西浩平が就いている。

大西は米国のアラバマ大学やハワイ大学でプロのATとして経験を積み、19年から母校をみている。花田たちにとって心強い存在だ。

プロである大西が細やかな指導をしながら、学生たちはスキルを磨いていく。

特にテーピングは、選手から「自分はこの人に巻いてほしい」と指名されることが多いだけに、選手担当ができると一人前ともいえる。

「選手からそういう風に思ってもらえるのは嬉しいですね」テーピングを巻いている最中も、会話しながら選手たちの様子をうかがい、彼らの体調に変化がないかを常に意識している。いつの間にかそれが癖になってきた。

自分が巻いた選手が活躍してくれるのが、このうえない喜びにつながっている。

◎アナライザー（AZ）
田中日菜（4回生）

戦術に関われる魅力こそAZ

チームスタッフの中で、唯一、戦術に関われるのがAZの仕事だ。

戦術面から日本一に貢献しようと、日々、活動している。

日頃の作業では、毎日の練習をビデオ撮影し、それをサーバーにアップロードして選手自身に見てもらう。

一つひとつの映像データには、各プレーにオフェンス、ディフェンスそれぞれのコールを入力し、レビューを円滑に進められるようにしている。

練習以外の時間には、対戦校の映像を集め、分析するのが主な仕事となっている。現在は9人のスタッフを、オフェンス担当5人、ディフェンス担当4人に振り分けて作業している。

今、AZに求められているのは、スカウトチームのモチベーションをいかに上げられるかだと田中はいう。チームが日本一になるためにはスカウトチームの力が必要だと痛感しているからだ。

「(数ある立命館大学の体育会でも) パンサーズでしかできない仕事がAZだと私は思っているので、やりがいがあります。フットボールの複雑かつ綺麗なところが好きで、(ディフェンスの) ブリッツやオフェンスのプレーも、全部計算し尽くされているので、決まった時には〝お洒落だな〟と思います」

AZの仕事を通じて、社会人として働く自分の姿もイメージできるようになった。

「情報を集める時は、毎週毎週試合があって、相手校の特徴や新しいプレーが頻繁に更新されます。そういう情報を皆に広めるという情報収集能力とその情報の伝達能力は、社会で生かせるのではないかなと思っています。お客様の声や求められているニーズをきちんと受け取って、どういう風に社内に伝えるかというやり方は、スキルとして活用できるのではないかと」

AZスタッフには、とにかくフットボールが好きというメンバーしかいないそうだ。

AZという立場から、この組織で日本一になるためにどうしたら貢献できるか。コーチからいわれてするのではなく、自分たちで考えて役割以上の仕事をする。それができてこそ、チームが遠ざかっている王座に近づくはず。

そう、田中は考えている。

特別インタビュー

「社会に貢献する人材育成とロイヤリティーの高いチーム作り、そして地域社会との連携を期待したい」

学校法人立命館理事長

森島朋三

1986年立命館大学産業社会学部卒。96年学校法人立命館の職員となる。96年から2004年まで京都大学センター（現公益財団法人大学コンソーシアム京都）に出向。立命館総務部長、常務理事、専務理事を経て17年7月より現職。

立命館大学アメリカンフットボール部は、大学改革と大いに関係しながら、これまで飛躍的な発展を遂げてきた。1994年の甲子園ボウル初出場、初優勝というフットボール部の活躍により立命館大学は全国にその名を轟かせた。以降、02、03のライスボウル連覇を含め、8度の学生王者と3度の全国制覇を成し遂げて「立命館=アメリカンフットボール」の印象を決定づけた。そんなフットボール部を、学園トップの理事長はどのように見ているのか、その率直な思いを語ってもらった。

究極は人間力とチャレンジ精神

僕は三つのことを、アメリカンフットボール部に期待しています。

まず一つは、「社会に貢献する人材の育成」です。

チームスポーツをやってきた人というのは、組織のことが分かる、人の気持ちが分かる、こうやって人を成長させられるということが分かる、そうしたことが大切だと思うのです。

僕は大学だけではなく、附属校のアメリカンフットボールの試合も観に行きます。いずれも全国トップレベルで、全国制覇を成し遂げている素晴らしいチームですし、〝立命館〟を代表するチームだと思います。

選手もコーチも真剣にやっているからこそ、国内でトップレベルにいられます。その過程で、組織や人を思いやる気持ちを絶対に学んでいるはずなのです。そうでなければ強くはなれないですから。そういう経験をしているということは、社会に貢献する人材を育成するという意味で本当に大きいことです。ですので、そうした観点からも、競技を通して培われる人材育成力というのは、すごく大事なのです。だからこそ応援することができます。

パンサーズがどういう組織であり、そこからどんな学生が社会に輩出されていくかというのは、立命館として非常に大きな意義があると思っています。

スポーツをやることの意義は、やはり人間力の育成です。人間力とチャレンジ精神を培うことです。だからこそ、そうした人間力とチャレンジ精神を教える存在、人材育成を担うヘッドコーチ（監督）という立場の人は、大学の管理職以上の存在だとも思っています。

プレーはすべて現場で起きることですし、相手がいる以上、予測通りには進みません。イレギュラーなことだらけだと思うのです。そうした状況の中で、どう対処して活路を見出すのか、劣勢を跳ね返して自分たちのプレーを遂行するのか、それを教えられる指導者は、大学の職制においても重要な力量を持つ人材に比肩し得ると思います。

試合は勝負ですから、勝つ時もあれば負ける時もあります。しかし、実は勝つ時よりも負ける時のほうが、人生にとっては大事になります。

僕は、立命館と関学で比較しても、技量において圧倒的な差があるとは思いません。今でこそ立命館は負けが込んできていますが、それを逆手にとって、だからこそ〝こういう風に変えていく〟という強い意思が必要なのではないかと思うのです。今、変えないといけないと。組織というのは、放置しておくと錆《さび》ついたり腐ったりするものですから、常にプログレッシブ（前進）しないとダメだと思うのです。立命館という組織は、過去にそうした前進をたくさん積み重ねたからこそ、今があるのです。

今年の箱根駅伝で2年ぶり8度目の優勝を果たした駒澤大学の大八木弘明監督が、「これまでの自分のやり方ではダメだと気づいて、選手たちの自主性を重んじるようになった」とある雑誌のインタビューでおっしゃっていました。従来のやり方を変える必要性に気がついたからこそ、駒澤大学は再び優勝することができたと思うのです。

理想とするのは〝ONE TEAM〟

二つめは、「ロイヤリティーの高い魅力あるチーム作り」です。

アメリカンフットボールでは、大学の最高位は甲子園ボウル優勝＝日本一だと思います。そうであれば、〝立命館大学アメリカンフットボール部の目標は最低でも日本一〟だといえるチームになってもらいたいのです。そして、世界とも伍するチームになることを、何年かかってでもやりませんかと。今年、創部70周年を機に、そうしたことを本気で考えてほしいと思っています。

どこにも負けない理想のチーム像を描きながら、その理想にどう近づけていくかを考える必要があります。今ある条件の中でやりましょうよ、ということでは何も変わりません。

僕は、19年と21年の立命館宇治高校が日本一になったクリスマスボウルを観戦しました。その優勝報告のため、木下祐介監督をはじめ、キャプテン、バイスキャプテン、QBの選手たちが来てくれました。そこで何気なく「大学でもフットボールをやるの？」と聞いたら、「いえ、大学ではやりません」というんですよ。生徒たちが大学で何をするかはもちろん自由です。ただ、それを聞いた時に「どうしてなのか？」と考えたんです。

そこで思い当たったのは、一つは燃え尽き症候群ではないかと。高校時代、もう燃え尽きた、もう十分にやったという思いがあるということ。そしてもう一つは、そのまま立命館大学に上がっても日本一にはなれないかもしれないという気持ちがあるのではないかと思ったのです。もちろん、これはアメリカンフットボール部だけの話ではないのですが、立命館スポーツの象徴ともいえるアメリカンフットボールだからこそ、大学と附属校との〝ＯＮＥ ＴＥＡＭ〟を実現してほしいという思いがあります。

小学校から中学、高校、大学と、学園全体が〝ＯＮＥ ＴＥＡＭ〟になるということが非常に大きな目標ですし、理想の姿であると思っています。

しかしながら、中高は大学の予備軍ではありません。中学は中学で、高校は高校で育つことが重要です。だからこそ、中高生たちが自然に行きたくなる大学チームになる必要があると思うのです。

そのためには、次の段階で何をすべきかということを抜きに、簡単に〝ＯＮＥ ＴＥＡＭ〟といっていても意味がありません。大学チームのロイヤリティーを高めるためにはどんな手立てが必要であるのかを、大学とチーム関係者が一緒になって、今こそ本気で考える必要があると思っています。

地域振興としてのアメリカンフットボール

そして、三つめは「地域社会との連携」です。

僕もかつてはいち大学職員でしたから、大学のためになることを徹底的に考えてやってきました。ところが、今は大学も少子化の影響を受けており、大学だけで考えていてはダメだと思い始めました。つまり、滋賀県や草津市、大津市も含めた県や市全体が盛り上がらなければ、立命館大学も盛り上がらないと考えるようになったのです。

このことは本気で考えなければならず、今では、地域振興なくして立命館大学の発展はないと思っています。地域社会が良くなることが立命館大学の発展につながり、立命館大学の発展が社会の役に立つと考えているのです。

現在、25年の国民スポーツ大会に向け、滋賀県と草津市が新設の草津市立プール（24年オープン予定）を作っています。せっかくの施設ですから、大学としてもうまく活用して、官学が連携して拠点化できないかと思ったのです。

そこで、水泳競技の飛び込みに着目してはどうだろうかと。というのも、立命館大学のＯＧにはオリンピック選手だった馬淵優佳（16年度卒／スポーツ健康科学部）さんがおられます。

彼女を通じて、全日本のヘッドコーチをされている彼女のお父様の馬淵崇英氏をお招きし、飛び込み競技の〝メッカ〟にできないかと。滋賀県知事にこの話を持ち込んだところ賛同を得ることができました。拠点化していくのはこれからの話ですが、地域社会と一緒になってこうした試みを行っていくことが、これからの大学の使命ではないかと思っています。

これをアメリカンフットボールに置き換えた時、装具をつけた本格的なアメリカンフットボールだけで考えるのではなく、例えば、草津にあるＢＫＣグリーンフィールドを拠点として、地域の子どもたちやお父さんお母さんたちがもっとフラッグフットボールやタッチフットボールに触れて「この競技面白いな」と思ってもらえるような環境を作ることができたなら素晴らしいと思います。

滋賀県には長浜ドームもあります。こうした施設を活用して、アメリカンフットボールで地域創生ができたなら、大学に対する見方も変わってくると思うのです。

競技としての魅力があるからこそ、それが可能なのだと思います。

これからのパンサーズに大いに期待しています。

出版に寄せて

元立命館大学アメリカンフットボール部
監督・総監督
平井英嗣

立命館大学アメリカンフットボール部創設70周年を前に、その歩みと歴史を後輩に伝えることで、未来に引き継いでもらいたいとの思いから始まったのが、本書、『70周年記念誌』の編纂作業です。今回、多くの方々にご協力いただき、こうして一冊の本にまとめることができました。

まずは、本書の執筆に格別なご尽力をいただいたチームＯＢの戸島正浩氏に心より感謝申し上げます。

時の経過とともに人々の記憶は薄れ、資料も散逸する中、多くの卒業生や関係者の方々に取材し、埋もれた古い記録を発掘するなど、大変ご苦労の多い作業だったと拝察します。

おかげで、これまで知ることのなかったチーム誕生の秘話や、若者たちの心意気に感じて寄せられた多くの善意や援助、躍動する部員たちの営《いとな》みが浮き彫りとなりました。これらの出来事が、まるで一連の動画のごとく目の前に蘇って、新鮮な思いを味わせてくれました。

創部当初の広小路学舎と鴨川の河川敷グラウンド、京都御苑の緑に囲まれた中で汗を流したことなど、懐かしい風景を思い出された卒業生も多かったに違いありません。戦後生まれの新しいチームが、先を行く他大学の仲間からの手助けや励ましを受けて成長する様子には、スポーツの持つ素晴らしい力と、戦後復興の中でのダイナミックな学生の活力と、さらに清新の息吹が感じられました。

創部70年を経て、当時のことを直接お聞きする機会が少なくなる中で、本書は、歴史を紡《つむ》いでこられた卒業生一人ひとりの熱い思い、苦労、喜びなどを受けとめて記録し、未来に引き継ぐという重責を担っていると感じました。

振り返ると、この歩みはもどかしいほどゆっくりとした足取りでした。リーグ戦を棄権になりそうなほどの部員不足の危機もありながら、それをどのように乗り越えてきたのでしょうか。当然重圧はあったと推察しますが、切羽詰まった義務感というよりは、心強い仲間との絆や、歴史を終わらせてはならないという意地が存在し、あらゆる危機を克服してきたのだと思います。

アメリカンフットボールへの愛着、プレーする喜び、激しい格闘技、そこに青春をかけ、打ち込み困難を乗り越えてやり遂げた、誇らしい学生の矜持があったからこそではないかと考えます。熱心な取り組みとやりきった自信、できなかったことは後輩に託し、成し遂げてほしいと希望を預けた、その願いが、輝かしい次世代を生みだす原動力になっていったのではないでしょうか。

ある古い卒業生と酒を酌み交わしていた時、泥と汗にまみれた青春を振り返って、彼がこう話してくれました。

「あの頃は経済的にも肉体的にもきつかったけれど、止めようと思ったことはなかった。試合で大敗しても、仲間とともに練習し、チームにいてプレーしたことそのものが楽しかった」

こうしたひたむきで地道な努力が一本一本の糸となって編まれ、次第に大きく美しい〝パンサーズ〟という織物を織りあげました。

今回、本書の編纂事業を通じて、卒業生たちの母校愛、チームへの誇り、仲間への信頼をあらためて強く感じることができました。

リーグ戦の勝敗は、もちろん極めて重要ですが、弱くてもできることを精いっぱいやり切る、互いに鍛え合った仲間との精神的な絆を大切にする、こうしたチームの気風が、苦境にあっても明るく前向きな精神風土を築き上げたと思います。そして、多くの難関を突破し、新天地を切り拓《ひら》く力となってきたのだと思います。

昭和から平成、そして令和へと時代が変わり、同時に練習環境も次第に改善され、チームも大きく変容しました。そこには立命館学園全体がこのチームに注いでくれた様々な援助や取り組みがありました。真剣に強くなりたいと思っていた私たちに手を差し伸べてくれました。

米国製の大型練習道具が原谷グラウンドに運び込まれた時は、小さい子どもがおもちゃをもらったように無邪気に喜んだことを思い出します。練習場に照明設備が設置され、やっとスタートラインに立てたと胸が躍り、さらに立命館びわこ・くさつキャンパスへの移転により革新的に改善された設備を見て、やってやるぞ、と奮い立ちました。教職員の皆さんの物心両面の力強い応援は、部員たちの心を励ましてくれました。草津市では、市民応援団が組織されて横断幕で激励していただき、チームは燃えました。

いずれも言葉に尽くせない感謝の思いでいっぱいの出来事です。

本書には、数々の歴史の転換点やきっかけとなる場面、エピソードが綴られています。

読み進むうちに次第に興奮してそのシーンを思い出し、こうすればよかった、ああすればもっと強くなれたなどと後悔や反省させられることも多く、厳しい過去と向かい合うことにもなりました。しかしこれもまた、本書の大切な役割であろうと思います。

我々は、１９９４年の甲子園ボウル優勝と学生日本一、２００２年度のライスボウル優勝を達成し、これまでに甲子園ボウル８回、ライスボウル３回の優勝の実績を残しています。

特に、21世紀に入ってからのパンサーズは、飛び抜けた存在に成長しました。

優秀な選手が集まったことはもちろん、整った環境の中で、知識と経験豊富な監督、コーチ、スタッフが力を一つに合わせ、快進撃を続けました。小気味よいパワフルなチームの躍動は、これからもずっと語り継がれるものとなるでしょう。学生の熱意が人々の共感を呼び起こし、化学反応を起こしたかのような変化を伴って、新たな世界を見せてくれました。

しかし、勝者の前には必ず手強いライバルが立ちはだかります。

これまでの予想を超え、新たなパワーを秘めた大きな壁となって行く手を塞ぎます。それを乗り越え、さらなる高みを目指すには、これまでにない高い志と鍛えられた不屈の精神を持った学生たちの登場が待たれます。彼らがそれを可能にしてくれるでしょう。過去を学び、現状を知り、未来へのビジョンを持って、たゆまぬ努力をすることで、より逞《たくま》しく、より賢く、よりパワフルになり、敢然と道を切り拓いていくことでしょう。

そして、真の王者となることができると信じています。

最初は本当に小さくて、勝つことのできなかったチームがここまで歩んでこられたのは、その歩みの中でチームの一人ひとりが各々の時代を大切にし、素晴らしい人生の一ページを力いっぱい頑張って生きたからです。そして、そのページを一枚一枚積み重ねる営みがあったからこそ、70年という分厚い歴史となりました。

スポーツは勝敗を決めるゲームであり、勝利を目指す容赦ない闘いです。そうした熾烈な競争の中で、優れた人間的資質も養わねばなりません。立命館には、学生スポーツの神髄である文武両道を備えた優れたチームになってほしいと願っています。

加えて、このチームが部員一人ひとりを大切にして、互いを尊重し、理解と信頼が培われる組織であることを願っています。そのために、本書が少しでも後輩の皆さんのお役立てば、私たちにとってこの上ない喜びです。

最後に、歴史のあらゆる場面で献身的にチームをご指導された監督、コーチ、スタッフの皆様に深く感謝の意を表しますとともに、それを支えたご家族の方々のご協力に厚く御礼申し上げます。

2023年6月吉日

エム・ティー・オー
シミズオクト

曙ブレーキ
TAISEI
大成建設
NII 日本情報産業
IMPULSE
24
21
IMPULSE
12

70年ヒストリー
1953〜2023

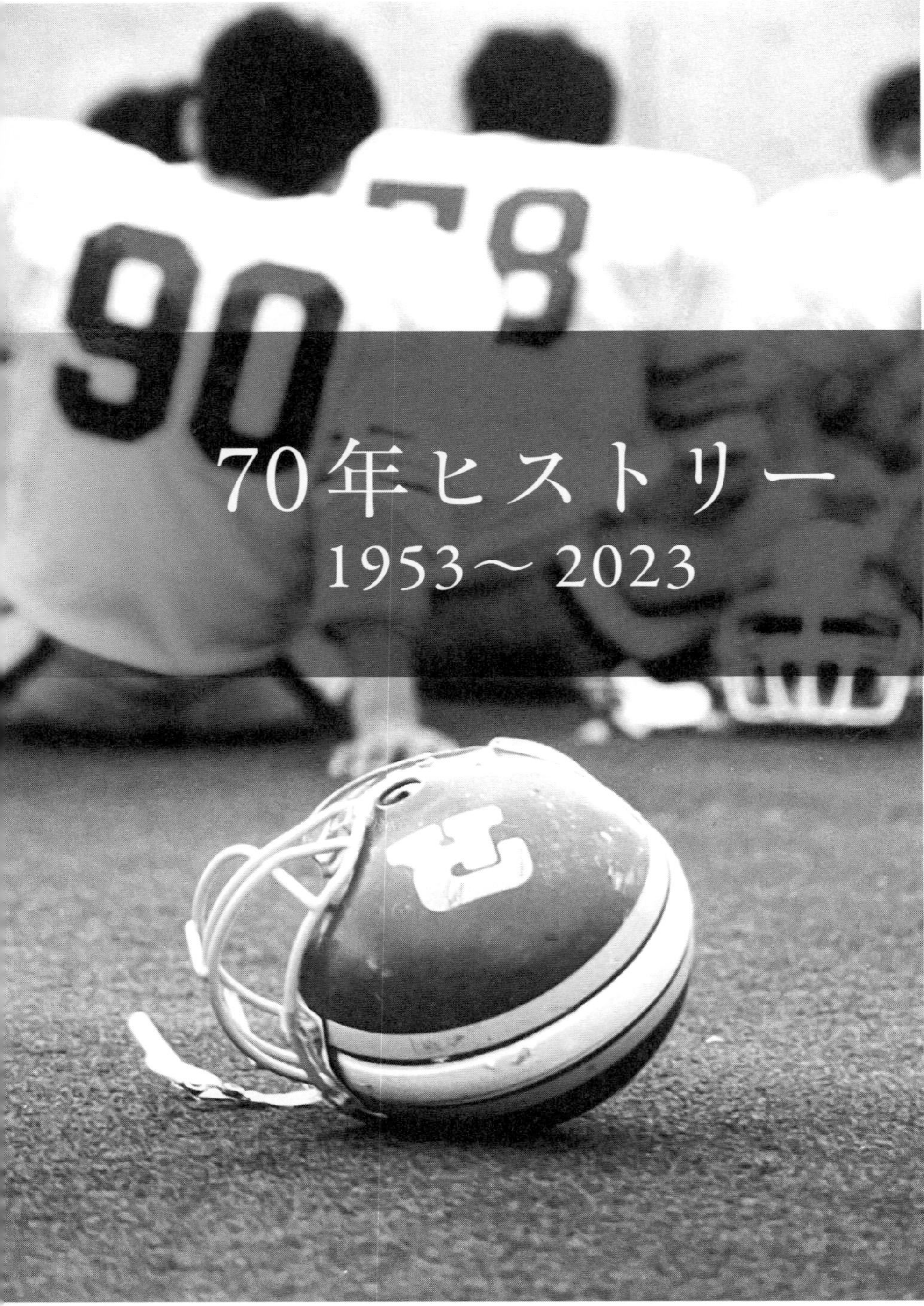

ROAD TO RICE BOWL
KOSHIEN BOWL
PANTHERS 51-14 BIG BEARS
PANTHERS 48-14 FIGHTERS
PANTHERS 48-6 DEVILS
PANTHERS 31-3 GANGSTERS
PANTHERS 59-0
PANTHERS 59-7 RAVENS

年表 1953 ~ 1973 年

西暦	元号	練習場	監督・HC	主将	順位	勝-敗-分	出来事
1953	（昭和28）	鴨川		市場志朗	5位	0-4	関西5番目のチームとして創部。関学との初対戦は●0－132
1954	（昭和29）	鴨川		市場志朗	4位	1-3	創部2年目にして、京大に初勝利（○13－8）
1955	（昭和30）	鴨川		山本一也	4位	1-3	日大との定期戦始まる
1956	（昭和31）	鴨川	山本一也	中西猛（旧姓・林）	5位	1-4	初代監督として前年主将、山本一也が就任。初勝利は対甲南戦での完封（○26－0）勝利
1957	（昭和32）	鴨川	山本一也	北村稔男	5位	0-4	前年新加盟の甲南に敗れる
1958	（昭和33）	鴨川	山本一也	深澤栄三	5位	1-4	関西学生リーグで政木清が敢闘賞、深澤栄三が努力賞を受賞
1959	（昭和34）	鴨川	山本一也	梁川善滋	6位	0-5	この年より連敗始まる
1960	（昭和35）	鴨川	荒山潔	杉山明	6位	0-5	甲南に敗れるも28得点を挙げる
1961	（昭和36）	鴨川		野田博	6位	0-5	京大相手に24得点も黒星
1962	（昭和37）	鴨川		遠藤晴邦	6位	0-5	対関学戦●0－108
1963	（昭和38）	鴨川		曽我祐亘	6位	0-5	リーグ戦初の無得点に終わる
1964	（昭和39）	鴨川		平澤正臣	6位	0-5	関学から初得点を挙げる（6点）
1965	（昭和40）	神山		宮下勝利	6位	0-5	練習場が鴨川グラウンドから神山グラウンドへ移転
1966	（昭和41）	神山	平澤正臣	吉田眞一	5位	1-4	同志社に初勝利し、秋季リーグ戦連敗を脱出（36連敗）。平井英嗣が1回生にして関学戦キックオフリターンTD
1967	（昭和42）	神山	宮本貞男	金子忠夫	5位	2-4	初のリーグ戦２勝。近大がリーグ新加入
1968	（昭和43）	神山	宮本貞男	吉川勝祥	5位	1-5	甲南、近大と同率5位
1969	（昭和44）	神山	仁ノ岡登	谷毅志	5位	1-5	仁ノ岡監督就任。平井、谷毅志、古田純一ら翌年からのコーチメンバーが最終学年に
1970	（昭和45）	柊野	仁ノ岡登	野瀬宇一郎	8位	0-7	平井コーチ体制始動。リーグ戦全敗で入替戦でも追手門大に敗れ、2部(近畿学生）リーグ降格
1971	（昭和46）	柊野	仁ノ岡登	石本善三	2部 *1位	5-0	入替戦で阪大に敗れ1部復帰ならず
1972	（昭和47）	柊野	仁ノ岡登	大倉富雄	2部 *2位	4-1	1敗を喫しブロック2位で入替戦出場まで届かず
1973	（昭和48）	柊野	仁ノ岡登	小野順四郎	2部 *1位	2-0-2	日大との定期交流戦、終了。リーグ戦では大経大に敗れ、入替戦出場できず

*2部ブロック

立命館大学アメリカンフットボール部　外伝◉その1

「立命館」の誕生と京都帝国大学

「立命館」の学祖である西園寺公望は、1869（明治2）年に私塾として「立命館」を開いたが、その後一旦閉鎖となる。

1894年、文部大臣に就任した西園寺は、教育への熱き思いを実現すべく、東京帝国大学（現東京大学）と相呼応して、国家の需要に応じられる高等教育機関を京都にも設置することの必要性を訴えた。これに基づく大学設置令が公布され、京都帝国大学（現京都大学）創設の流れが固まり、西園寺の秘書官となった中川小十郎の奔走で無事創設された。中川は、その功績により京都帝国大学初代事務局長に取り立てられた後、官職を退き、実業家へと転身する。そして1900年、中川は、西園寺が思い描いた「立命館」の前身となる京都法政学校を創立し、その5年後、西園寺より許可を得て、正式に「立命館」とした。「立命館」は、向学心を持つ勤労青年のために勉学の機会を与えるとともに、京都帝国大学教員の経済支援を兼ねた夜間学校となった。

それから30年以上を経た1933（昭和8）年、京大事件（滝川事件とも呼ばれる）が起こる。京都帝国大法学部瀧川幸辰教授の著作『刑法読本』が思想的に偏向しているとの理由で、政府が一方的に滝川教授を休職処分にし、これに対し、京大法学部教授会や学生が学問の自由、大学の自治を守ろうとして反対。文部省の措置に抗議して多くの教授、助教授が辞職した一連の騒動である。のちに立命館の学長、総長、名誉総長となる末川博もまた、この事件で京大を辞職することになった。京大と極めて深い結びつきをもっていた立命館は、この事件で京大を免官となった教授、助教授を公式に招聘。それが戦後、末川博博士を学長として迎えることにつながる。

1946年、正式に末川を迎えた「立命館」は、総長公選制や全学協議会など、画期的な民主的制度の整備を図り、平和と民主主義を教育理念に掲げた学園運営を目指していくことになる。

ちなみに、「立命館」の名称は、『孟子』尽心章（じんしんしょう）の「殀壽不貳　修身以俟之　所以立命也」＝「殀寿（ようじゅ）貳（たが）わず、身を修めて以て之れを俟（ま）つは、命を立つる所以（ゆえん）なり」からきている。すなわち、人生の長短は天命で決められている、だから生きている間は我が身の修養（勉学）に努めることが人間としての本分となるのである、という意味だ。

「立命館」とは、まさに人間がその本分を全うするための場所である、という意味なのである。

改めて意味をかみしめたい。

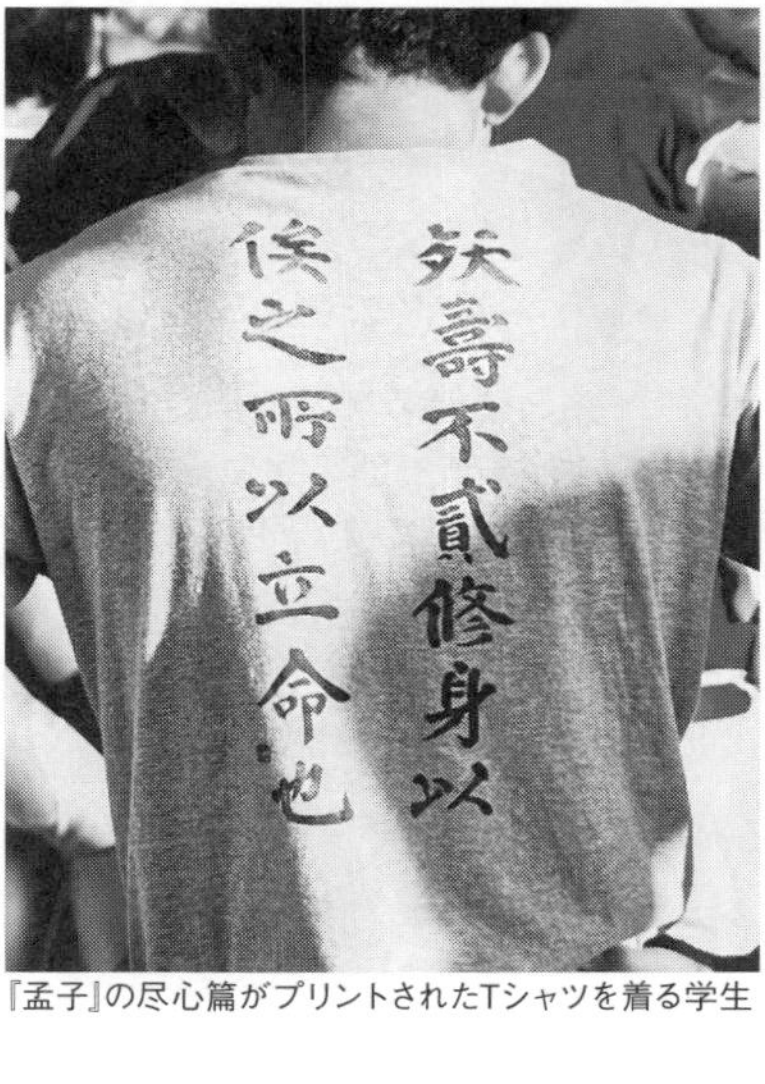

『孟子』の尽心篇がプリントされたTシャツを着る学生

年表 *1974* ~ *1988* 年

西暦	元号	練習場	監督・HC	主将	順位	勝-敗-分	出来事
1974	(昭和49)	柊野	仁ノ岡登	藤本芳彦	2部 *2位	3-1	京産大に負けブロック優勝逃す
1975	(昭和50)	柊野	仁ノ岡登	松田文昭	2部 *2位	4-1	2年連続で京産大に勝利できず
1976	(昭和51)	柊野	仁ノ岡登	成田太賢	2部 *2位	4-1	3年連続同カード黒星
1977	(昭和52)	柊野	仁ノ岡登	花房昌男	2部 *1位	4-1	大経大に敗れ惜しくも入替戦出場ならず
1978	(昭和53)	柊野	仁ノ岡登	河田栄三（旧姓・樫）	2部 *2位	5-1	再び京産大に6点差で敗戦
1979	(昭和54)	柊野	仁ノ岡登	東島千誠	2部 *1位	6-0	入替戦で神戸学院大に勝利し、10年ぶりに1部リーグ復帰を決める
1980	(昭和55)	柊野	仁ノ岡登	本多正憲	6位	2-5	リーグ戦初戦で関学にあと４点まで詰め寄る（●24―28）。同志社と神戸大に勝利
1981	(昭和56)	柊野	仁ノ岡登	岡田信義	7位	1-6	入替戦で岡山大に敗れ、再び2部（近畿学生）リーグ降格
1982	(昭和57)	柊野 原谷	仁ノ岡登	櫻木英次郎	2部 *1位	5-0	山中湖にて夏合宿。入替戦で再び岡山大と対戦、○6―0で勝利し、1部リーグに再昇格
1983	(昭和58)	原谷	仁ノ岡登	増田昌義	8位	0-5-2	入替戦で大経大に勝利し、1部残留。東海大との定期戦開始。原谷グラウンドに完全移転
1984	(昭和59)	原谷	仁ノ岡登	松井信也	6位	2-4-1	尚友館竣工。合宿所、トレーニングルーム、シャワー室などが完備される
1985	(昭和60)	原谷	仁ノ岡登	伊奈勝浩	2位	5-2	初のリーグ戦同率2位。原谷グラウンドに照明施設設置完了
1986	(昭和61)	原谷	仁ノ岡登	白崎裕敏	4位	3-4	奥川教授の紹介にて、コーチの平井、岡本直輝が米国ピッツバーグ大パンサーズを視察訪問。「イヤーブック」第1号創刊
1987	(昭和62)	原谷	仁ノ岡登 HC平井英嗣（大学職員）	小川和守	5位	3-4	前年に続き、職員の岡本が中島直樹、原繁己、村上和也らを引率してピッツバーグ大視察へ。「スポ選」第1期生入学
1988	(昭和63)	原谷	仁ノ岡登 HC平井英嗣	古橋由一郎	2位	5-2	主将の古橋ら4回生数人と平井で3年連続ピッツバーグ大視察訪問。京大、同志社と京都勢３校が同率2位に

*2部ブロック

愛すべきヒッピーの“林さん”

その風貌はどう見てもヒッピー。おそらくハーレーだろう、大型バイクに乗って練習グラウンドの原谷に乗りつけては、ニコニコ笑いながら学生たちに声を掛ける姿は、非日常のようで、我々にとっては日常だった。ある時はチームにポンと100万円を寄付する気風の良さは、以後ずっと、語り草となった。

長らくOBOG会長を務め、その貢献度では平井英嗣、仁ノ岡登と並び、部の歴史上、この人を置いて右に出る人はいないといわれる政木清（1958年度卒）ですら、「彼のクラブへの貢献態度は、私たちが模範とすべきものと私は思います」と語るほど、部と部員に対する応援姿勢は終始一貫していた。

その人物の名は、林政昭（69年度卒）。存命であれば、平井と同じく今年で76を数える齢だ。最終的に6人しか残らなかった代で、コーチをしていた谷毅志や古田純一とはまた別の角度から、平井を支えていた。現役時代、平井は一度だけ退部を申し出たことがあったという。理由は在学中に父が急逝したためで、家庭の経済的な事情だった。その時に自宅まで行って平井の退部を思いとどまらせようとしたのが林だった。

「感激してね。結局、それでもう一度フットボールを続けようと復帰した」（平井）。

卒部後は、大学卒業はギリギリ。その後は自分の足で世界中を旅して周った。周っているうちにきっとあの風貌に落ちついたのだろう。それもまた林らしい。帰国すると、地元、京都は河原町で、共同経営で居酒屋『地球屋』（96年からは独立して『A（アー）』と改称）をオープン。その店はすぐにフットボール好きのたまり場になった。

94年の初優勝の時は、長居での関学戦に勝利し、1試合（京産戦）を残して優勝が決まった。その夜、『地球屋』は急遽、貸し切りとなり祝勝会の会場となった。

「リーグ最終戦の関京戦を落ち着いてゆっくり観るのは初めてです。思えば長かったなあ」

ほろ酔いでそう語った平井の横顔を、林はどんな想いで見ていたのだろう。

2003年1月3日のライスボウルで、パンサーズは初めて社会人を倒して日本一の座に就いた。が、しかし、『A』の厨房に立つ林の姿はすでになかった。02年9月、林はすい臓がんのため54歳の若さで他界していた。

「林に良い報告ができます」

日本一となった時、旧知の記者に平井が漏らしたこの一言は、若くして天国に先立った親友への一番の手向けとなったに違いない。

ちなみに、現GMの米倉輝は、林の店で今の妻と知り合った。

人をつなぎ、チームを応援し続けた林政昭。享年54。

今も語り草となる根っからの立命フットボーラーである。

現役時代の林（左）と平井の貴重な一枚

年表 1989～2003年

西暦	元号	練習場	監督・HC	主将	順位	勝-敗-分	出来事
1989	（平成元）	原谷	仁ノ岡登 HC平井英嗣	増田健司	3位	5-2	1部復帰後、初の京大戦勝利。RB堀口靖が第1回山本杯受賞
1990	（平成2）	原谷	仁ノ岡登 HC平井英嗣	高松庄司	2位	5-1-1	関倉高、特別推薦制度入学開始。リーグ戦では関学に○13－12で初勝利。京大にも○14－7で勝利し、初の単独2位に。チームロゴが「R」から足型に変更される
1991	（平成3）	原谷	仁ノ岡登 HC平井英嗣	岡本吉範 （旧姓・金）	3位	5-2	勝てば関学と同率優勝（プレーオフ）がかかった京大とのリーグ最終戦に●17－21で惜敗し、3位に甘じる
1992	（平成4）	原谷	仁ノ岡登 HC平井英嗣	川村範行	2位	5-2	関学に勝利するも同志社、京大に黒星。RB堀口がチーム史上初のリーグ戦1000ヤードラッシュ達成
1993	（平成5）	原谷	平井英嗣	塩田弘	3位	5-2	古橋コーチがチーム初の専従コーチに。平井監督誕生
1994	（平成6）	BKC	平井英嗣	松本恭	1位	7-0	BKC移転1年目にして、リーグ戦全勝で初優勝。甲子園ボウルも初出場にして法政に勝利し、大学日本一達成
1995	（平成7）	BKC	平井英嗣	昌原史卓	2位	6-1	平成ボウル初出場。秋季リーグは関学に白星を挙げるも京大に●３－7のロースコアで敗退
1996	（平成8）	BKC	平井英嗣	東野稔	2位	6-1	最終戦で京大に敗れ、QB東野の最終学年も全勝ならず。甲子園ボウル出場決定トーナメントで再び京大に敗れ去り、2年連続2位
1997	（平成9）	BKC	平井英嗣	城阪千太郎	2位	6-1	関学戦●7－16で敗退
1998	（平成10）	BKC	平井英嗣	泊圭太	1位	7-0	全勝優勝で2度目の関西王者に。甲子園ボウルでは○25－17で法政に勝利し、学生王座に就く（2度目）
1999	（平成11）	BKC	平井英嗣	小西剛	2位	6-1	関学戦に敗れ、またも連覇ならず
2000	（平成12）	BKC	平井英嗣	野々村健志	3位	5-2	橋詰功コーチを1年プログラムでオクラハマ大へ派遣。オフェンスの改革。関京に敗れ、7年ぶりの3位に
2001	（平成13）	BKC	監督 平井英嗣 HC古橋由一郎	山中正喜	2位	6-1	ショットガンオフェンスの本格導入年1年目。平井監督ラストシーズン、古橋新HC体制へ移行
2002	（平成14）	BKC	HC古橋由一郎	礒谷幸始	1位	7-0	“リッツガン”を武器に最初のパーフェクトシーズンを達成。甲子園ボウルでは○51－14で早稲田に勝利し、ライスボウルではシーガルズを○36－13で下した
2003	（平成15）	BKC	HC古橋由一郎	高橋健太郎	1位	7-0	2度目のパーフェクトシーズンで、初の日本一連覇

大産大附属高の系譜

1987年から始まった「スポーツ能力に優れた者の特別選抜入学試験」(「スポ選」)において、メンバーの中核を担ってきた高校の一つが大阪産業大学附属高校(以下、大産大附)だ。同校は87年から2022年度までの35年間で、12度関西王者(99～02年の4連覇を含む)となり、うち8度は高校日本一となっている。長年、監督を務める山嵜隆夫氏の功績は大きい。

89年に大産大附から初めて入部したのがRB堀口靖だった。同校が87年に関西を制し、高校日本一を決めるクリスマスボウルに初出場した時のメンバーだ。鳴り物入りで立命館に入学し、驚異的なカットバック走法でその名を轟かせた。

92年にはLB／DBの大島康司(現守備コーディネーター)が入部し、"アニマルリッツ"の一員として2年後の94年初優勝に大きく貢献。翌93年には、QB東野稔(96年度主将)、WR下川真司のホットラインコンビが加入し、課題であったオフェンス力を一気に引き上げた。

94年には、のちに主将となるDL城阪千太郎、95年には3回生からOLにコンバートして活躍した泉本辰徳も入学して、大きな戦力となった。スキルポジションでは、WR松本力志、DB元野勝広の二人が96年に入学。3回生で出場した98年甲子園ボウルではともに先発メンバーとして出場している。

選手の能力の高さに加え、大産大附出身選手の特徴の一つが「早咲き」であることだろう。現在、全国屈指のフットボールレベルと厚い選手層を誇るパンサーズにあって、1、2回生で試合に出ること自体が評価に値する。97年のLB片平貴幸、98年のDL西村雄介、99年のWR西川周佑らはその象徴だった。

2000年代に入ると、クリスマスボウルを連覇したメンバーが次々と加入する。

00年は、QB高田鉄男、DL平井基之、LB西洋成を皮切りに、01年にはWR木下典明、長谷川昌泳、RB岸野公彦、齋藤壽師、02年はOL坂根賢一、LB塚田昌克、DB三宅剛司らが入部。02、03年度にライスボウルを連覇し、04年まで甲子園ボウル3連覇を果たすなどオールジャパンクラスのメンバーとなって、国内における一大フットボール大国を築いてみせた。

すべて書き切れないのが残念だが、08年度の日本一メンバーでは、4回生のDL前田和津、TE森正也、DB毛利賢二、3回生のWR宣本慎平、2回生のOL真田康史ら。また、10年度の甲子園ボウル優勝メンバーでは、4回生のDL十亀悠也、兄の慎平にならって大産大附→立命館のレールを辿ったWR宣本潤平が2回生で出場している。同じく甲子園ボウルを制した15年度のメンバーでは、4回生の主将DL田辺大介、OLの遠藤慶人と島野堅三、DB八条彬久、2回生のRB西村七斗らが名を連ねた。

近年では1回生から常時試合出場を果たし、4回生時の20年に主将を務めた立川玄明も忘れられない。

04年度副将を務めた長身WR長谷川昌泳

西暦	元号	練習場	監督・HC	主将	順位	勝-敗-分	出来事
2004	(平成16)	BKC	HC古橋由一郎	岸野公彦	1位	6-1	リーグ戦で関学と同率1位。甲子園ボウル優勝（○38－17法政）
2005	(平成17)	BKC	HC古橋由一郎	塚田昌克	1位	7-0	4年連続、甲子園ボウル出場するも初の敗戦
2006	(平成18)	BKC	古橋由一郎	橋本享祐	2位	6-1	最終関学戦に2点差で優勝に届かず
2007	(平成19)	BKC	古橋由一郎	岡本遥	2位	6-1	BKCグリーンフィールド完成
2008	(平成20)	BKC	古橋由一郎	浅尾将大	1位	7-0	パーフェクトシーズンでライスボウル優勝（○17－13）。古橋監督、勇退
2009	(平成21)	BKC	HC米倉輝	相馬明宣	3位	5-2	米倉新HC就任。9年ぶりに3位転落
2010	(平成22)	BKC	HC米倉輝	佐藤修平	1位	6-1	リーグ戦で関学、関大と3校同率優勝。プレーオフを制し、2年ぶり8回目の甲子園ボウル出場（○48－21早稲田）
2011	(平成23)	BKC	HC米倉輝	名倉秀亮	2位	6-1	全勝対決で関学に大敗（●7－37）
2012	(平成24)	BKC	HC米倉輝	服部真明	2位	6-1	再び全勝対決のKG 戦で獲得ヤードで上回るも黒星
2013	(平成25)	BKC	米倉輝	松森亮太	2位	5-1-1	京大に1敗を喫す。関学とドロー
2014	(平成26)	BKC	米倉輝	山本貴紀	2位	6-1	4年連続リーグ2位となる
2015	(平成27)	BKC	米倉輝	田辺大介	1位	7-0	7年ぶりの全勝優勝。甲子園ボウルで早稲田に○28－27で勝利。8度目の学生チャンピオンに
2016	(平成28)	BKC	米倉輝	西信一郎	2位	6-1	対関学戦●6－22で1敗
2017	(平成29)	BKC	米倉輝	近江克仁	1位	7-0	リーグ戦全勝優勝もWJBで関学に敗退し、西日本代表ならず
2018	(平成30)	BKC	古橋由一郎	安東純一	2位	6-1	WJBで僅か1点差で関学に敗退
2019	(令和元)	BKC	古橋由一郎	鈴木総司郎	1位	6-1	2017年に続き、リーグ戦で優勝するも、WJBで関学に敗退
2020	(令和2)	BKC	古橋由一郎	立川玄明	—	2-1	コロナ禍により、全8チームによるトーナメント戦で関学に敗北（●14－16）
2021	(令和3)	BKC	古橋由一郎	平浩希	2位	3-0	A組1位も順位決定戦とWJBで関学に敗戦
2022	(令和4)	BKC	藤田直孝	伊佐真輝 坪倉拓未 ※ダブル主将の為	3位	5-2	藤田監督就任。関大、関学に敗れ13年ぶりに3位
2023	(令和5)	BKC	藤田直孝	山下憂			創部70周年を迎えた

多様化するサポートの形

平井の6つ下にあたり、平井とともに立命館でディフェンスコーチの経験もある成田太賢（1976年度卒）は、所属していたJC（青年会議所）の30周年記念事業をきっかけに、中学生のフットボールチームを作った。その成田が代表となり発足した池田ワイルドボワーズからは多くの選手が育ち、今も大学1部校チームへ多くの卒部生を輩出している。

立命館OBでは、城阪千太郎（97年度卒）や木下典明（04年度卒）らがおり、そのほか、関西では関学、関大、関東では日大、明治、慶応、中央などへ選手を送り出した。

現在、成田は城阪に代表を譲ったものの、練習には顔を出して中学生たちの指導に当たる。

「僕が好きなのは子どもの成長ですよ。大学で活躍しているのを見るのが一番嬉しんです」

子どものいない成田にとってワイルドボワーズの子どもたちは、自分の子どものような存在。彼らの成長が励みになり、だからこそ、70歳を前にしてもまだまだ元気でいられるに違いない。

成田のワイルドボワーズも所属するチェスナットリーグの運営に携わっているのは、05年度卒の池野伸（宇治高出身）だ。池野はフットボール選手ならば必ず一度はお世話になったことのあるプロショップ「キュービィクラブ」の営業部長を務める傍ら、チェスナットリーグ事務局の一員として審判ほか運営サイドにかかわっている。同社社長である父親は、日本協会副会長を務めたレジェンドでもある。

池野自身は、大学2回生時からQBとして活躍し、04年度甲子園ボウル制覇時は立命館オフェンスをリードした。

「私自身がチェスナットリーグ出身で、小さい頃に教わった“フットボールを楽しむ”ことが大学までできた実体験がある。その経験を生かして、子どもたちの環境作りに注力していきたい。フットボールはチーム内でも互いの協調性を体験できる素晴らしいスポーツ。一人でも多くの子どもたちに知ってもらいたいですね」。チェスナットリーグから米国大学に入学する選手も出てきいている。日本人初のNFL選手誕生への夢は広がる。

フットボール部の卒部生ではなくとも、フットボールを支えている人がいる。

現在、関西学生リーグと協業で試合のライブ配信を担う「株式会社 rtv」の代表を務める須澤壮太は、立命館大学映像学部卒（11年度）。在学中に、映像学部の仲間と「rtv」を立ち上げ、最初に同志社－立命館の関西学生野球連盟の試合中継を行った。すると、同年、パンサーズから関西大－立命館のプレーオフの配信ができないかとチーム単体での配信の相談が入った。そこで視聴数が取れたこともあり、須澤はスポーツのライブ配信の楽しさを覚えると、当時、関西協会の理事長だった平井英嗣からも声が掛かった。

「アナウンサーやディレクターも同じ映像学部内で皆学生の集まりでした。運用費を出していただき、ノウハウも溜まったおかげで、起業のための準備ができました」（須澤）

現在、柴垣資治（91年度卒）が代表を務める「タロウズ」で制作する「Book de Movie」（卒部生に渡す毎年のシーズンダイジェスト映像を収めた本型ディスプレイ）に収められているのも「rtv」の映像だ。

こうした様々な形でのチーム、リーグサポートが現在進行形で行われている。

参考文献・HP

『立命館大学アメリカンフットボール部　創部五十周年記念誌』
（立命館大学アメリカンフットボール部OB会・2003年）

『限りなき前進　日本アメリカンフットボール五十年史』
（日本アメリカンフットボール協会・1984年）

『立命館大学百年史紀要　立命館大学アメリカンフットボール部の歩み
（一九七〇～二〇〇一年）』平井英嗣

『毎日甲子園ボウル70回の軌跡』（毎日新聞社、日本アメリカンフットボール協会・2016年）

『立命館大学アメリカンフットボール部パンサーズガイドブック』（1986年～2022年度版）

『関西学院大学アメリカンフットボール部80周年記念誌』
（一社KG FIGHTERS CLUB・2022）

『大学改革　立命館はなぜ成功したか』川本八郎（中央公論新社・2009年）

『大学変革　哲学と実践　立命館のダイナミズム』中村清（日経事業出版社・2001年）

『心を燃やせ』川本八郎（財界研究所・2009年）

『関学・京大・立命　アメフト三国志』産経新聞大阪運動部（産経新聞社・2006年）

『勝利者』鈴木智之（万来舎・2002年）

『史上最も成功したスポーツビジネス』種子田穣（毎日新聞社・2002年）

関東学生アメリカンフットボール連盟HP
「75周年記念特集 フットボールの父 ポール・ラッシュの真実」井尻俊之

立命館大学HP内　全学協議会確認書バックナンバー

立命館大学HP内　立命館大学スポーツ活動の振興
「スポーツ能力に優れた者の特別選抜入学試験」導入が果たした役割
（2008年7月31日@朱雀キャンパス）

立命館史資料センターHP

立命館大学新聞社HP

監修者
プロフィール

平井英嗣

ひらい・ひでつぐ

1948年、京都府生まれ。京都市立塔南高等学校卒業後、立命館大学に入学しアメリカンフットボールを始める。現役時代のポジションはFB/LB。１回生時から４年連続オールスターに選抜され、70年春、卒業と同時に母校のコーチに就任。以降、2002年まで、ヘッドコーチ、監督、総監督として、３度の甲子園ボウル優勝（94年、98年、02年）と、ライスボウル優勝（02年）を成し遂げ、02年に勇退。その後、関西アメリカンフットボールコーチ協会会長、関西学生アメリカンフットボール連盟理事長を歴任。現在も中学生指導を中心に後進の育成に尽力している。

Special Thanks

水野彌一
古川　明

中野貴裕（フォトグラファー）
小川高志（フォトグラファー）
鈴木康一郎（フォトグラファー）
山岡丈士（フォトグラファー）

井尻俊之

松本陽三
仁ノ岡登
平井英嗣
村上和也
橋詰　功
近江永郎
西口憲一

岡本直樹
種子田穣

荒井次郎
浅岡　弦

立命館大学史資料センター
立命館大学学生課
立命館大学スポーツ強化オフィス
立命館大学尚友館

立命館宇治中学校・高等学校
立命館守山中学校・高等学校
立命館慶祥高等学校
立命館高等学校

ジュニアパンサーズ
草津リトルパンサーズ

SpiRits《スピリッツ》リツメイ魂《だましい》

未来《みらい》を信《しん》じ未来《みらい》に生《い》きる

2023年6月30日　第1版第1刷発行

著　　者　立命館大学《りつめいかんだいがく》アメリカンフットボール部《ぶ》
　　　　　立命館大学《りつめいかんだいがく》アメリカンフットボール部《ぶ》ＯＢＯＧ会《オービーオージーかい》
発 行 人　池田 哲雄
発 行 所　株式会社ベースボール・マガジン社
　　　　　〒103-8482 東京都中央区日本橋浜町 2-61-9
　　　　　TIE 浜町ビル
　　　　　電　　話　03-5643-3930（販売部）
　　　　　　　　　　03-5643-3885（出版部）
　　　　　振替口座　00180-6-46620
　　　　　https://www.bbm-japan.com/

印刷・製本　共同印刷株式会社

ISBN 978-4-583-11622-8 C0075